La soumise

TARA SUE ME

La soumise

Volume 1 de la trilogie « La soumise »

Traduit de l'anglais (Grande-Bretagne) par Sylvie Cohen

Red Velvet

À MsKathy, je te serai éternellement reconnaissante pour le cadeau de ton amitié
et
À M. Sue Me, merci pour ton soutien sans faille et pour ne jamais dire : « Tu as écrit quoi ? »

1

— Mademoiselle King, monsieur West va vous recevoir, annonça l'hôtesse d'accueil.

Je me levai en me demandant pour la vingt-cinquième fois ce que je fabriquais ici et allai ouvrir la porte du bureau, raison pour laquelle j'avais traversé la moitié de la ville. De l'autre côté, se trouvait mon fantasme le plus sombre qui allait devenir réalité dès que j'aurais franchi le seuil.

Je tournai la poignée sans trembler, ce dont je n'étais pas peu fière, et pénétrai dans la pièce.

Première étape accomplie.

Nathaniel West était assis derrière un grand bureau en acajou et pianotait sur son ordinateur. Il ne leva pas la tête ni ne ralentit la cadence. À croire que j'étais invisible. Je baissai les yeux, au cas où.

J'attendis sans bouger un cil, le visage tourné vers le sol, les bras le long du corps, les pieds écartés de la largeur de mes épaules.

Dehors, le soleil s'était couché, et la lampe posée sur le bureau projetait une lumière tamisée.

Combien de temps s'était écoulé? Dix minutes? Vingt?

Il travaillait toujours sur son ordinateur.

Je me mis à compter ma respiration. Mon cœur qui battait comme un fou à mon arrivée commençait enfin à se calmer.

Dix autres minutes passèrent.

Ou peut-être trente.

Il s'arrêta de taper sur son clavier.

— Abigaïl King, dit-il.

Je sursautai légèrement sans relever la tête.

Deuxième étape accomplie.

Je l'entendis ramasser une liasse de papiers dont il fit une pile. Ridicule. D'après ce que je savais de Nathaniel West, le tas devait être bien net. C'était un nouveau test.

Il repoussa son fauteuil et seul le bruit des roulettes sur le parquet vint rompre le silence. Il avança à pas mesurés jusqu'à ce que je le sente derrière moi.

D'une main, il souleva mes cheveux pour dégager ma nuque. Son souffle chaud me chatouilla l'oreille.

— Vous n'avez pas de références.

Exact, je n'en avais pas. Juste un fantasme débile. Devais-je le lui avouer? Non, mieux valait garder le silence. Mon cœur s'emballa.

— Sachez que je n'ai aucune envie de former une soumise, poursuivit-il. Les autres ont déjà une solide expérience.

Cinglée. J'étais complètement cinglée d'être venue là. Mais c'était ce que je voulais. Me retrouver sous l'emprise d'un homme.

Et pas n'importe lequel. Celui-là.

Il enroula mes cheveux autour de son poignet et tira légèrement.

— Est-ce bien ce que vous désirez, Abigaïl? Vous êtes sûre?

J'avais la gorge sèche. J'étais à peu près certaine qu'il pouvait entendre les battements de mon cœur, mais je ne bougeai pas d'un poil.

Il retourna à son bureau avec un petit rire.

— Regardez-moi, Abigaïl.

Je l'avais déjà vu en photo. Tout le monde connaissait Nathaniel West, le patron de West Industries.

Les clichés ne lui rendaient pas justice. Son teint légèrement hâlé faisait ressortir ses yeux vert foncé. Ses épais cheveux sombres me donnaient envie d'y enfoncer les mains. De m'y cramponner pour attirer sa bouche sur la mienne.

Il se mit à tapoter sur la table en cadence du bout des doigts. Qu'il avait longs et forts. J'avais les genoux en coton à la simple idée de ce qu'ils pourraient me faire.

Face à moi, Nathaniel esquissa l'ombre d'un sourire, et je me secouai pour me rappeler où je me trouvais. Et pour quelle raison.

— Les motivations qui vous ont poussée à postuler ne m'intéressent pas, reprit-il. Si je vous choisis et que vous acceptez mes conditions, votre passé importe peu.

Il ramassa les papiers que je reconnus comme ma candidature et les parcourut rapidement.

— Je sais tout ce que je dois savoir, ajouta-t-il.

Je me rappelai les formulaires que j'avais remplis – des questionnaires, le résultat des tests sanguins qu'il avait exigés, la méthode de contraception que j'employais. De la même façon que j'avais reçu des informations le concernant en prévision de ce rendez-vous. Je connaissais son groupe sanguin, ses résultats d'analyses, ses limites, les choses qu'il aimait faire à ses partenaires de jeu.

Un ange passa.

— Vous n'avez aucune formation, dit-il, mais vous êtes très douée.

Le silence retomba. Il se leva et gagna la grande baie vitrée derrière son bureau. Il faisait nuit noire et je voyais son reflet sur la vitre. Je croisai ses yeux et baissai la tête.

— Vous me plaisez, Abigaïl King. Mais je ne me rappelle pas vous avoir dit de regarder ailleurs.

J'espérai ne pas avoir commis d'impair irréparable et relevai la tête.

Il se retourna et défit sa cravate.

— Oui, je pense qu'un week-end d'essai s'impose. Si vous êtes d'accord, je vous attends dans ma propriété vendredi soir à dix-huit heures précises. Une voiture viendra vous chercher. Nous dînerons et nous verrons ensuite.

Il lança sa cravate sur le canapé à sa droite et défit le premier bouton de sa chemise.

— J'ai des attentes claires de la part de mes soumises. Vous devrez veiller à avoir au moins huit heures de sommeil du dimanche au jeudi soir. Vous suivrez un régime équilibré – je vous l'enverrai par e-mail. Vous devrez aussi courir un kilomètre et demi trois fois par semaine. Sans oublier deux séances de musculation hebdomadaires dans ma salle de sport. Une carte de membre sera établie à votre nom dès demain. Avez-vous des questions?

Encore un test. Je ne répondis pas.

Il sourit.

— Rien ne vous empêche de parler.

Enfin. Je me léchai les lèvres.

— Je ne suis pas très… sportive, monsieur West. Et courir n'est pas vraiment ma tasse de thé non plus.

— Vous devez apprendre à ne pas vous laisser dominer par vos faiblesses, Abigaïl. Vous suivrez aussi des cours de yoga trois fois par semaine. Ils sont programmés à la salle de sport. Autre chose?

Je secouai la tête.

— Très bien. Il y a là tout ce que vous avez besoin de savoir, ajouta-t-il en me tendant les papiers. À vendredi soir.

Je les pris et patientai.

Il sourit encore.

— Ce sera tout.

2

Lorsque je passai devant la porte de l'appartement d'à côté, elle s'ouvrit sur Félicia Kelly, mon amie d'enfance. Nous avions grandi dans la même petite ville de l'Indiana. Nous étions voisines de table en primaire, puis au collège, grâce à l'ordre alphabétique. À la fin du lycée, nous avions fréquenté la même université à New York et vite compris que, pour ne pas altérer notre amitié, mieux valait être voisines que colocataires.

J'aimais Félicia comme la sœur que je n'avais pas eue, même si elle était parfois autoritaire et envahissante. Le besoin fréquent que j'avais de m'isoler la rendait folle. Apparemment autant que mon entrevue avec Nathaniel.

— Abby King! s'écria-t-elle, les mains posées sur les hanches. Ton téléphone était éteint. Tu es allée voir ce West, hein?

Je me contentai de sourire sans répondre.

— Vraiment Abby, je me demande pourquoi je dépense ma salive, maugréa-t-elle en me suivant au salon.

Je pris place sur le canapé pour lire les documents que m'avait remis Nathaniel.

— Bonne question, en effet, dis-je. Au fait, je ne serai pas là le week-end prochain.

Félicia poussa un gros soupir.

— Tu es allée le voir. Je le savais. Une fois que tu as une idée en tête, tu fonces sans penser aux conséquences.

Je poursuivis ma lecture comme si de rien n'était.

— Tu te crois maligne, hein? Que va-t-on penser à la bibliothèque, à ton avis? Et ton père?

Mon père vivait toujours dans l'Indiana et, bien que nous ne soyons pas très proches, il était évident qu'il aurait une opinion tranchée sur le sujet. Entièrement négative. Mais qui irait parler de ma vie sexuelle à mon père, de toute façon?

Je posai les papiers sur le canapé, à côté de moi.

— Primo, tu ne diras rien à mon père. Secundo, ma vie privée ne regarde pas la bibliothèque. C'est clair?

Elle s'assit à son tour et se plongea dans la contemplation de ses ongles.

— Pas clair du tout, fit-elle en récupérant les papiers. C'est quoi ça?

Je les lui arrachai des mains.

— Rends-les moi tout de suite.

— Écoute, si tu tiens tellement à être dominée, je connais un tas de types qui seraient ravis de te rendre service.

— Tes ex-petits amis ne m'intéressent pas.

— Si je comprends bien, tu envisages d'aller chez un inconnu qui va te faire Dieu sait quoi?

— Pas du tout.

Elle s'approcha de mon ordinateur portable, l'alluma et se carra sur sa chaise pendant que l'appareil se mettait en route.

— Tu veux quoi exactement? Devenir la maîtresse d'un richard?

— Je ne suis pas sa maîtresse, mais sa soumise. Surtout ne te gêne pas avec mon ordi. Fais comme chez toi.

Félicia tapait frénétiquement sur le clavier.

— Soumise. Bien sûr. C'est beaucoup mieux.

J'avais mené une enquête approfondie sur Internet.

— Exactement. Tout le monde sait que c'est elle qui domine dans un couple.

Dans l'intervalle, Félicia avait lancé Google et cherchait le nom de Nathaniel. Ce n'était pas moi qui l'en empêcherais si cela lui faisait plaisir.

— Nathaniel West est au courant? demanda-t-elle.

Entre-temps, son visage séduisant avait envahi l'écran. Il nous fixait de son regard vert acéré, enlaçant une blonde incendiaire.

Il est à moi, me souffla la zone débile de mon cerveau.

De vendredi soir à dimanche après-midi, rétorqua la partie raisonnable.

— C'est qui, celle-là? questionna Félicia.

— Celle qui m'a précédée, j'imagine, marmonnai-je, revenant à la réalité. Quelle idiote d'avoir cru qu'il pouvait avoir envie de moi après ça.

— Tu vas avoir du pain sur la planche pour la remplacer, ma vieille.

Je hochai imperceptiblement la tête. Félicia le remarqua, bien sûr.

— Pfft, Abby, en plus, tu es plate comme une planche.

Je poussai un soupir.

— Je sais.

Félicia secoua la tête et cliqua sur le lien suivant. Je détournai les yeux pour ne pas voir une autre photo de la déesse blonde.

— Hello chéri ! s'exclama-t-elle. Celui-là, je le laisserais me dominer quand il veut.

Je levai le nez pour contempler la photo d'un beau spécimen de mâle. Jackson Clark, le meneur des Bears de New York, à en croire la légende.

— Tu ne m'avais pas dit qu'il était parent avec un footballeur professionnel.

Je l'ignorais, mais inutile de le signaler à Félicia – elle ne me prêtait plus la moindre attention.

— Je me demande si Jackson est marié, murmura-t-elle en cherchant de plus amples informations sur la famille. Voyons voir… On dirait que non. Hum… peut-être y a-t-il plus d'infos sur la blonde ?

— Tu n'as rien de mieux à faire ?

— Que t'empoisonner la vie ? Non.

— La porte est là, lançai-je en me dirigeant vers ma chambre.

Elle pouvait passer la nuit à chercher ce qu'elle voulait, moi, j'avais de la lecture.

Je m'assis en tailleur sur mon lit avec la liasse de papiers. La première page mentionnait l'adresse et les coordonnées de Nathaniel. Sa maison se trouvait à deux heures de route et je me demandai s'il en possédait une autre plus près de la ville. Figuraient également le code de la grille ainsi que son numéro de portable, en cas de besoin.

Ou si tu reviens à la raison, intervint la partie sensée de mon cerveau.

La deuxième page fournissait les informations relatives à mon inscription au gymnase ainsi qu'au programme que je devais suivre. La seule idée de la course à pied me donnait des boutons. Suivaient d'autres détails sur les cours de musculation ainsi que, recopiés d'une belle écriture en bas de la page, le nom et le téléphone du professeur de yoga.

Le troisième feuillet m'informait que je n'aurais pas besoin d'emporter un bagage, le vendredi suivant. Nathaniel me fournirait les objets de toilette et le linge dont j'aurais besoin. Intéressant. Je ne me serais pas attendue à moins de sa part. Figuraient ensuite les directives qu'il m'avait déjà fournies – huit heures de sommeil, repas équilibrés — rien de neuf, en somme.

La page quatre détaillait ses plats préférés. Par chance, je savais cuisiner. J'y jetterais un œil plus tard

Page cinq.

Disons seulement que la cinquième page me laissa tout excitée et impatiente d'être déjà à vendredi.

3

Nathaniel West avait trente-quatre ans. À la mort de ses parents, décédés dans un accident de la route quand il avait dix ans, c'était sa tante, Linda Clark, qui l'avait élevé.

À l'âge de vingt-neuf ans, il avait repris l'entreprise florissante fondée par son père qu'il avait continué à faire prospérer.

Son nom m'était familier depuis longtemps. J'en avais entendu parler dans la presse people, le moyen qu'a le commun des mortels de s'informer sur les classes supérieures. Les magazines le dépeignaient comme un dur à cuire. Un beau salaud. Pour ma part, j'aimais croire que j'en savais un peu plus sur sa véritable personnalité.

Six ans plus tôt – j'en avais vingt-six — ma mère s'était retrouvée endettée jusqu'au cou après son divorce d'avec mon père. La somme était si gigantesque que la banque avait menacé de saisir sa maison, ce qu'elle aurait été en droit de faire. Heureusement, Nathaniel West était venu à son secours.

Il était membre du conseil d'administration de la banque et il avait réussi à convaincre les autres gestionnaires de donner à ma mère une chance de garder sa maison et de rembourser ses dettes. Deux ans plus tard, elle mourait d'un infarctus, non sans tarir d'éloges à son sujet chaque fois que son nom était cité dans un journal ou aux infos. Je savais qu'il n'était pas le monstre qu'on décrivait.

Et quand j'eus vent de ses goûts quelque peu… spéciaux, je laissai libre cours à mes fantasmes. Qui allèrent grandissants au point où je me dis qu'il fallait faire quelque chose.

Voilà pourquoi une voiture avec chauffeur me conduisit chez lui vendredi en fin d'après-midi, à dix-sept heures quarante-cinq. Sans bagages, à l'exception de mon sac à main et de mon téléphone.

Un énorme golden retriever montait la garde devant la porte. Une belle bête au regard intense qui ne me lâcha pas des yeux tandis que je descendais de voiture et me dirigeais vers la maison.

Je n'aimais pas trop les chiens, mais puisque Nathaniel en avait un, j'avais intérêt à m'habituer.

— Gentil chien, dis-je en tendant la main.

Il grogna, s'approcha et poussa son museau dans ma paume.

— Gentil chien, répétai-je. Oh, oui, tu es un bon chien.

Il jappa et roula sur le dos pour que je puisse le caresser sur le ventre. Peut-être que ces petites bêtes n'étaient pas si méchantes, au fond.

— Apollon! Viens là, appela une voix douce depuis le seuil.

À la voix de son maître, Apollon releva la tête, il me lécha le visage d'un coup de langue et rejoignit Nathaniel au petit trot.

Mon hôte portait une tenue plus décontractée aujourd'hui – un pull gris clair sur un pantalon foncé. Il aurait eu fière allure même vêtu d'un sac de jute. Ce n'était vraiment pas juste.

— Vous avez fait connaissance avec Apollon, à ce que je vois, dit-il.

Je me redressai et ôtai une poussière imaginaire de mon pantalon.

— Oui, c'est une brave bête.

— Pas du tout. D'habitude, il n'aime pas les inconnus. Vous avez de la chance qu'il ne vous ait pas mordue.

Je ne répondis pas. Nathaniel tourna les talons et entra dans la maison sans même vérifier si je le suivais. Ce que je fis, évidemment.

— Nous dînerons à la cuisine, déclara-t-il en me guidant à travers les couloirs.

Je tentai de me faire une idée du décor – mélange subtil d'ancien et de contemporain – mais j'avais du mal à détacher mon regard de l'homme qui me précédait à grands pas.

Il parlait toujours pendant que nous dépassions plusieurs portes closes.

— La cuisine sera votre domaine. Vous y prendrez la plupart de vos repas. Quand je vous y rejoindrai, vous pourrez considérer cela comme une invitation à parler librement. Le reste du temps, vous me servirez dans la salle à manger. J'ai pensé que nous pourrions commencer la soirée de manière moins formelle. Est-ce bien clair?

— Oui, maître.

Il se retourna, une lueur de colère au fond des yeux.

— Non. Vous n'avez pas encore le droit de m'appeler ainsi. Pour le moment, vous vous contenterez de monsieur ou monsieur West.

— Oui, monsieur, répondis-je. Je suis désolée, monsieur.

Il se remit en marche.

Les formules de politesse étaient restées dans le flou, et je ne savais trop à quoi m'attendre. Au moins, il n'avait pas l'air particulièrement fâché.

Il avança une chaise devant une table délicatement ouvragée et attendit que je prenne place. Puis il s'assit en vis-à-vis sans mot dire.

Le dîner était déjà servi et j'attendis qu'il commence à manger avant de l'imiter. C'était délicieux. Des blancs de poulet rôtis nappés d'une sauce au miel et aux amandes, accompagnés de haricots verts et de carottes. Je les remarquai à peine, tant le goût de la viande dominait tout le reste.

Je m'avisai alors que nous étions seuls à la maison.

— Est-ce vous qui avez préparé le dîner? demandai-je.

Il fit oui de la tête.

— J'ai de nombreux talents, Abigaïl.

Je me tortillai sur mon siège. Le repas se poursuivit en silence. J'étais trop stressée pour ouvrir la bouche.

Nous avions presque fini lorsqu'il reprit la parole.

— Je constate avec plaisir que vous ne vous sentez pas obligée de bavarder à tort et à travers pour combler le silence. J'ai un certain nombre de choses à vous expliquer. Rappelez-vous que vous pouvez vous exprimer librement.

Il fit une pause, attendant ma réponse.

— Bien, monsieur.

— Je suis un dominant plutôt conservateur, vous l'aurez remarqué en lisant la liste que je vous ai fournie. Je ne pratique pas l'humiliation publique, et je ne suis pas non plus fanatique des sévices corporels. En outre, je ne partage pas. Jamais. Bien sûr, en tant que dominant, libre à moi de changer les règles quand bon me semblera, ajouta-t-il, un petit rictus aux lèvres.

— Je comprends monsieur, répondis-je en me rappelant ses directives et le temps que j'avais mis à remplir le questionnaire.

Pourvu que ce week-end ne soit pas une erreur, me dis-je, rassurée par mon téléphone que je sentais peser au fond de ma poche. Félicia savait qu'elle devait appeler la police si je n'avais pas donné signe de vie dans les prochaines heures.

— Encore un point, je n'embrasse jamais sur la bouche, ajouta-t-il.

— Comme dans *Pretty Woman* ? C'est trop intime ?

— *Pretty Woman* ?

— Le film, vous savez ?

— Non. Je ne l'ai pas vu. Je n'embrasse pas sur la bouche parce que c'est inutile.

Inutile ? Je pouvais dire adieu à mon fantasme de l'attirer à moi, mes doigts emmêlés dans sa splendide chevelure.

J'avalai une dernière bouchée en repensant à ce qu'il venait de dire.

Il laissa courir un doigt sur le bord de son verre de vin.

— Je sais que vous avez vos propres espoirs, des rêves, des désirs, des appétits, des opinions personnelles. Vous devrez mettre tout cela au vestiaire pour vous soumettre à moi, ce week-end. D'ailleurs, le simple fait que vous en soyez capable force le respect et le mien vous est acquis. Tout ce que je vous fais subir est dans votre intérêt. Les règles concernant votre sommeil, votre régime ou votre activité physique sont édictées pour votre bien. Les punitions visent à vous rendre meilleure. Quant au plaisir que je vous donnerai – son doigt glissa le long du pied du verre avant de remonter – je suppose que vous n'avez rien contre, n'est-ce pas ?

Je le dévisageai, ahurie.

Il sourit, repoussa sa chaise et se leva.

— Avez-vous terminé?

— Oui monsieur, répondis-je, sachant que je serais incapable d'avaler une bouchée de plus, tant j'avais l'esprit obnubilé par ses réflexions sur le plaisir.

— Je dois sortir Apollon. Ma chambre est à l'étage, première porte à gauche. J'y serai dans quinze minutes. Vous m'y attendrez. Page cinq, premier paragraphe, précisa-t-il en dardant sur moi son regard vert.

J'ignore comment je réussis à monter l'escalier – j'avais l'impression de porter des semelles de plomb à chaque pas. Je ne disposai que de quinze minutes pour me préparer avant son retour. Parvenue en haut des marches, j'envoyai un message à Félicia pour lui dire que tout allait bien et que je ne rentrerais pas ce soir, et j'ajoutai le code secret dont nous étions convenues pour qu'elle puisse m'identifier.

Je poussai la porte de la chambre de Nathaniel et restai clouée sur place. Il y avait des bougies partout. Un grand lit à baldaquin en bois massif trônait au milieu de la pièce.

D'après le premier paragraphe de la page cinq, le lit n'était pas pour moi. J'aurai droit à un coussin à même le sol.

Je découvris une nuisette transparente négligemment posé dessus. Mes mains tremblaient pendant que je me changeais. Le vêtement recouvrait à peine le haut de mes cuisses et le tissu transparent ne cachait rien de mon anatomie. Je pliai mes habits et les empilai soigneusement près de la porte sans cesser de rabâcher dans ma tête :

C'est ce que tu voulais.

C'est ce que tu voulais.

Après l'avoir répété comme un mantra une vingtaine de fois, je finis par me calmer. Je me dirigeai vers le coussin, m'y agenouillai, puis m'accroupis, les fesses sur les talons. Les yeux baissés, j'attendis.

Nathaniel me rejoignit quelques minutes plus tard. Je glissai un œil dans sa direction et notai qu'il avait retiré son pull. Il avait le torse large et musclé d'un athlète. Il portait toujours son pantalon.

— Très bien, Abigaïl, dit-il en refermant la porte. Vous pouvez vous lever.

J'obéis, la tête inclinée sur ma poitrine, tandis qu'il tournait autour de moi, espérant qu'à la lueur vacillante des bougies il ne remarquerait pas que je tremblais comme une feuille.

— Retirez votre nuisette et posez-la par terre.

Je la passai par-dessus ma tête le plus gracieusement possible et l'observait retomber sur le sol.

— Regardez-moi.

Il attendit que mes yeux croisent les siens avant de défaire lentement sa ceinture en cuir. Il la saisit d'une main puis se remit à tourner autour de moi.

— Qu'en pensez-vous Abigaïl ? Devrais-je vous punir pour m'avoir appelé « maître » tout à l'heure ?

Il fit claquer la ceinture dont le bout m'effleura la peau. Je sursautai.

— Comme vous voulez, monsieur, articulai-je, surprise de sentir l'excitation m'envahir.

Il finit par se planter devant moi, déboutonna son pantalon et le fit glisser le long de ses cuisses.

— Comme je veux ? À genoux.

J'obéis et eus ma première vision de Nathaniel dans sa glorieuse nudité. Il était magnifique. Long, épais, dur. Très long. Très épais. Très dur. La réalité était encore mieux que dans mes fantasmes.

— Sucez-moi.

J'inclinai la tête et happai l'extrémité de son sexe entre mes lèvres. Je bougeai doucement pour l'engloutir plus avant. Il paraissait encore plus imposant dans ma bouche et je ne pus m'empêcher d'imaginer l'avoir en moi d'une autre façon.

— Entièrement, précisa-t-il lorsque je le sentis au fond ma gorge.

Je levai les mains pour évaluer la distance.

— Si vous ne pouvez pas le prendre en bouche, vous ne l'aurez nulle part ailleurs.

Il s'enfonça plus loin et je me détendis pour l'engouffrer jusqu'à la garde.

— Oui, comme cela.

J'avais mal estimé sa largeur. Je m'obligeai à respirer à petits coups par le nez. Ce n'était pas le moment de tomber dans les pommes.

— J'aime ça, fort et violent, et je ne vous ferai pas de cadeau sous prétexte que vous êtes une néophyte. Accrochez-vous, ajouta-t-il en se cramponnant à mes cheveux.

J'eu à peine le temps de nouer mes bras autour de ses cuisses qu'il se retirait avant de replonger dans ma bouche et entamait des va-et-vient rapides.

— Servez-vous de vos dents.

Je retroussai les lèvres et coulissai sur toute sa longueur pendant qu'il allait et venait dans ma bouche. Une fois habituée à sa taille, j'enroulai la langue autour de lui et me mis à sucer.

— Oui, geignit-il, en accélérant le tempo.

J'y suis arrivée, me dis-je. Je le fais bander et gémir avec ma bouche. Moi.

Je le sentis se contracter dans ma bouche.

— Avalez tout, dit-il en poussant plus fort. Prenez tout ce que je vous donne.

Je faillis m'étouffer lorsqu'il jouit. Je fermai les yeux pour mieux me concentrer. Un jet salé gicla au fond de ma gorge, que je parvins à avaler.

Il se retira hors d'haleine.

— Voilà ce que je veux, Abigaïl…

Je m'accroupis sur le coussin tandis qu'il enfilait son pantalon.

— Votre chambre est la deuxième à gauche, poursuivit-il d'une voix posée. Vous ne dormirez dans mon lit que si je vous y invite. Vous pouvez disposer.

Je remis le déshabillé et ramassai mes vêtements posés par terre.

— Je prends mon petit déjeuner à sept heures précises dans la salle à manger, ajouta-t-il.

Apollon se faufila par l'entrebâillement de la porte au moment où je sortais et fila se coucher au pied du lit.

Trente minutes plus tard, j'étais toujours éveillée sous mes couvertures, repassant en boucle la scène dans ma tête. Je songeais à Nathaniel : son attitude distante, le calme avec lequel il dictait ses ordres, son contrôle absolu. Cette rencontre dépassait largement mes plus folles attentes.

J'attendais la suite avec impatience.

4

Je dormis tard, le lendemain, et me réveillai en sursaut en me maudissant lorsque je consultai ma montre. Six heures et quart. Pas le temps de prendre une douche puisque le petit déjeuner était fixé à sept heures. Je me brossai hâtivement les dents dans la salle de bains attenante. Et avec un coup d'œil furtif au miroir, je nouai à la va-vite mes cheveux en queue-de-cheval.

J'attrapai un jean et un T-shirt à manches longues dans l'armoire, surprise de constater qu'ils m'allaient comme un gant avant de me rappeler avoir fourni mes mensurations dans les documents que j'avais remplis. Je me dirigeai vers la porte quand mon regard s'attarda sur le lit défait. Le laisser en l'état me traversa l'esprit, mais je me dis que Nathaniel était sans doute un maniaque de l'ordre, et je ne voulais pas le contrarier dès le premier week-end.

Ton premier week-end? ironisa la partie raisonnable de mon cerveau. Parce que tu crois qu'il y en aura d'autres?

Je décidai de faire la sourde oreille.

Le lit simple n'était pas assez grand pour deux personnes, songeai-je avec un soupir de déception en le retapant. Apparemment, Nathaniel ne me rejoindrait pas dans ma chambre. Et d'après ce qu'il avait laissé entendre, les nuits où je dormirais dans le sien seraient rares.

En passant devant la salle de sport pour gagner la cuisine, je l'entendis courir sur le tapis roulant. Je regardai l'heure en faisant la grimace.

Six heures trente-cinq. Je n'aurais pas le temps de préparer mon petit déjeuner spécial — du pain perdu aux bananes caramélisées. Un autre jour peut-être.

Il entra dans la salle à manger quelques secondes après que j'eus posé sur la table des œufs brouillés, des toasts et une salade de fruits. Il avait lavé ses cheveux et sentait bon le grand air et le musc. Délicieux. Mon cœur s'emballa à l'idée de le goûter.

Je restai planté à sa droite pendant qu'il mangeait. Il ne me regarda pas une seule fois, et poussa un léger soupir de satisfaction après la première bouchée.

Une fois qu'il eut fini, il daigna remarquer ma présence.

— Allez vous préparer quelque chose. Vous mangerez à la cuisine. Je vous attends dans ma chambre dans une heure. Page cinq, paragraphe deux.

Sur ces mots, il quitta la pièce.

Comment pouvait-il me demander de manger juste avant de me donner l'ordre de le rejoindre dans sa chambre? Comme si je pouvais avaler quoi que ce soit après ce qu'il venait de dire. Malgré tout, je fis cuire un œuf brouillé, épluchai quelques fruits et déjeunai à la table de la cuisine, conformément à ses instructions.

Le soleil entrait à flots par la fenêtre. Je regardai au dehors et aperçus Nathaniel qui se promenait avec Apollon. Le chien courait dans le parc, effrayant les oiseaux sur la pelouse. Nathaniel était au téléphone et lorsque l'animal revint à ses pieds, il tendit machinalement la main pour le caresser.

Je promenai mes regards alentour en me demandant si la fille blonde mangeait aussi à la cuisine et si c'était un fin cordon-bleu.

De toute façon, elle n'était plus là. Je l'avais remplacée dans cette maison, au moins le temps d'un week-end. Je débarrassai la table et montai à l'étage.

Page cinq, paragraphe deux. Je l'avais surnommée la pose gynéco. En effet, allongée sur le lit de Nathaniel dans le plus simple appareil, j'avais tout à fait l'impression d'être chez le médecin. Manquait le bout de papier que l'on vous donnait pour cacher votre pudeur.

Je fermai les yeux et me concentrai sur ma respiration, convaincue que je pourrai supporter tout ce que Nathaniel exigerait. Peut-être finirait-il par me toucher ?

— Gardez les yeux fermés.

Je sursautai. Je ne l'avais pas entendu entrer.

— J'aime vous voir offerte de la sorte, apprécia-t-il. Imaginez que vos mains sont les miennes. Caressez-vous.

C'était à devenir folle. J'avais essayé de deviner comment se passerait le week-end, mais jusque-là, rien ne s'était déroulé selon mes prévisions. Il ne m'avait pas touchée une seule fois. C'était profondément injuste.

— Allez, Abigaïl, maintenant.

Je portai mes mains à mes seins en me figurant que c'était les siennes. Facile. Je l'avais fait des centaines de fois.

Je sentis le souffle chaud de Nathaniel près de mon oreille pendant que ses mains me touchaient. Ses caresses, douces et légères au début, devenaient plus brutales à mesure que notre respiration s'accélérait.

Il avait envie de moi, j'étais tout ce qu'il voulait.

Il avait faim et j'étais la seule capable de le rassasier.

Avec une lenteur consommée, il roula tour à tour mes tétons entre ses doigts. Je me mordis les joues, submergée par un tourbillon de sensations. Il les pinça et tira encore plus fort lorsque je me mis à gémir.

C'était moi qui avais envie de lui à présent. J'en avais besoin. Je le voulais de toutes mes forces. Je laissai courir mes doigts sur mon ventre – folle de désir d'être comblée. Qu'il me remplisse et vite.

Il écarta plus largement mes genoux et je restais là devant lui, écartelée, exposée, offerte. Il allait enfin me prendre. Entrer en moi pour qu'on en finisse. Il me remplirait comme personne ne l'avait jamais fait avant lui.

— Vous me décevez, Abigaïl.

Le Nathaniel de mon rêve s'évanouit. Je battis des paupières.

— Gardez les yeux fermés, j'ai dit.

Il se trouvait à quelques centimètres de mon visage, je respirais son odeur virile. J'attendais qu'il poursuive, le cœur battant à tout rompre.

— Vous m'avez avalé tout entier dans votre bouche, hier soir, et vous croyez vraiment qu'un seul doigt suffirait à me remplacer ?

J'y introduisis un deuxième. Oui. C'était mieux.

— Un autre.

J'infiltrai un troisième doigt et commençai à aller et venir en moi.

— Plus fort, murmura-t-il. Je vous pénétrerai plus fort que cela.

Je n'allais pas résister encore longtemps s'il continuait à me parler de cette façon. J'enfonçai mes doigts plus loin, imaginant qu'il plongeait en moi de tout son long. Mes jambes se crispèrent et je lâchai un gémissement.

— Jouissez maintenant.

J'explosai.

Le silence retomba pendant que je reprenais mon souffle. J'ouvris les yeux et le vis debout à côté du lit, le front luisant de sueur. Son érection tendait le devant de son pantalon.

— Cet orgasme était trop facile, Abigaïl, me dit-il en me fixant de ses yeux verts sensuels. N'allez pas croire que cela se reproduira souvent.

Au moins, cela signifiait qu'il y en aurait d'autres, me dis-je.

Il laissa errer son regard sur mon corps, tandis que je m'obligeais à rester immobile.

— J'ai un rendez-vous cet après-midi, je ne serai pas là pour déjeuner. Il y a des steaks dans le frigo que vous me servirez à dix-huit heures dans la salle à manger. Et puis n'oubliez pas de prendre une douche, puisque vous n'avez pas eu le temps, ce matin.

Apparemment, rien n'échappait à ce diable d'homme.

— Vous trouverez des DVD de yoga dans la salle de sport, enchaîna-t-il. Visionnez-les. Vous pouvez vous retirer.

Je ne le revis pas avant dix-huit heures. S'il voulait me tester avec les steaks, il allait être déçu. Ma recette était à tomber, c'était bien connu.

Enfin, pas exactement. Mais même si Nathaniel ne tombait pas, pâmé, à mes genoux, j'étais quand même capable de lui préparer un steak dont il se souviendrait.

Bien entendu, il ne me fit aucun compliment sur mes talents culinaires. Mais il m'invita à partager son repas. J'obéis en silence.

Je portai une bouchée de viande à ma bouche. J'aurais voulu lui demander où il était passé tout l'après-midi. S'il habitait en ville pendant la semaine. Mais comme nous trouvions dans la salle à manger, je restai bouche close.

Une fois le repas terminé, il me pria de le suivre. Il me guida à travers un dédale de couloirs, dépassa sa chambre et fit halte devant la suivante, voisine de la mienne. Il ouvrit la porte et s'écarta pour me laisser passer.

La pièce était plongée dans l'obscurité. Seule une petite lampe dispensait un semblant de clarté. Deux grosses chaînes munies de fers pendaient au plafond. Je me retournai pour le dévisager, l'air ahuri.

Il ne broncha pas.

— Me faites-vous confiance, Abigaïl?

— Je... euh...

Il passa devant moi et alla déverrouiller une menotte.

— Pourquoi avons-nous conclu un accord à votre avis? Je pensais que vous saviez à quoi vous en tenir.

C'était vrai, mais j'imaginais que les chaînes et les menottes arriveraient plus tard. Bien plus tard.

— Si vous voulez aller plus loin, il faut me faire confiance.

Il déverrouilla l'autre fer.

— Venez là.

J'hésitai.

— Vous avez toujours l'option de partir et ne plus revenir.

Je m'approchai de quelques pas.

— Parfait. Déshabillez-vous.

C'était pire que la veille. À ce moment-là, au moins, j'avais une vague idée de ce qu'il voulait. Tout à l'heure, sur son lit, cela n'avait pas été trop dur non plus. Mais là, c'était insensé.

Le côté fou en moi adorait.

Lorsque je fus nue, il m'attrapa les bras, les allongea au-dessus de ma tête et les attacha à l'aide des menottes. Puis il s'éloigna et retira sa chemise. Il fouilla dans le tiroir de la commode, en sortit un foulard et revint vers moi.

Il désigna l'étoffe noire.

— Vos sens seront plus aiguisés si je vous bande les yeux.

Ce qu'il fit. Tout devint obscur. J'entendis des pas, puis plus rien. Pas de lumière. Pas de bruit. Rien du tout. Sauf les battements affolés de mon cœur et ma respiration hachée.

Quelque chose me frôla les cheveux, léger comme l'air. Je tressaillis.

— Que ressentez-vous Abigaïl? Parlez franchement.

— J'ai peur…

— C'est compréhensible, mais inutile. Je ne vous ferai aucun mal.

— Quelque chose de délicat effleura mon sein. Je sentis l'excitation enfler entre mes cuisses.

— Et maintenant, qu'éprouvez-vous?

— De l'impatience.

Il émit un petit rire qui se répercuta dans ma colonne vertébrale. Je sentis qu'il dessinait un autre cercle, me touchant à peine, comme pour me taquiner.

— Et si je vous disais qu'il s'agit d'une cravache?

Une cravache? J'en eus le souffle coupé.

— J'aurais une peur bleue, répondis-je.

La cravache fendit l'air et atterrit violemment sur mon sein. Je poussai un cri. Cela m'avait fait mal, mais heureusement pas trop longtemps.

— Vous voyez? dit-il. Vous n'avez rien à craindre. Je ne vous ferai pas mal. Écartez les jambes, poursuivit-il, tandis que le fouet s'abattait sur mes genoux.

Je me sentais encore plus exposée, le cœur battant deux fois plus vite, au comble de l'excitation.

Il promena la cravache depuis mes genoux jusqu'à mon entrejambe. Là où ma chair était la plus sensible.

— Et si je vous fouettais ici, suggéra-t-il. Qu'en pensez-vous?

— Je… je ne sais pas.

La cravache siffla à trois reprises, tout près de mon clitoris. La sensation de brûlure fut vite remplacée par une sensation de manque. J'en voulais plus. Beaucoup plus.

— Et maintenant? demanda-t-il, en me caressant avec la cravache comme un papillon entre les jambes.

— Encore, implorai-je.

La cravache effectua délicatement deux ou trois cercles avant de mordre encore une fois mon centre si sensible. Elle s'abattit encore et encore dans une explosion de douleur mêlée de plaisir. Je poussai un cri lorsqu'il recommença.

La cravache revint chatouiller mon sein.

— Vous êtes superbe ainsi, enchaînée, tirant sur vos liens en me suppliant de vous fouetter jusqu'au sang. Votre corps demande à être soulagé, n'est-ce pas?

— Oui, admis-je, étonnée qu'il me comprenne si bien.

J'aurais voulu défaire mes menottes pour me caresser et me donner le plaisir qu'il me refusait.

Il frappa derechef mon intimité.

— Bientôt, mais pas ce soir.

Je gémis en l'entendant s'éloigner. Quelque part, un tiroir s'ouvrit. Je tirai de nouveau sur mes chaînes. Que voulait-il dire par « pas ce soir » ?

— Je vais vous détacher, déclara-t-il. Vous irez directement au lit. Vous dormirez nue et vous ne vous caresserez pas. Gare aux représailles si vous désobéissez.

Il déverrouilla les menottes l'une après l'autre, étala une lotion parfumée au creux de mes poignets, puis ôta le bandeau.

— Vous avez bien compris?

Je plongeai mon regard au fond de ses yeux verts et vis qu'il ne plaisantait pas.

— Oui, monsieur.

La nuit serait longue.

5

Une odeur de bacon grillé m'éveilla le lendemain matin.

Je sautai du lit et consultai ma montre. Six heures trente. Pourquoi Nathaniel était-il aux fourneaux? Il n'avait pas précisé l'heure du petit déjeuner la veille au soir. Je ne risquais donc pas d'avoir des ennuis pour ne pas avoir deviné qu'il voulait manger plus tôt.

J'accomplis en vitesse le rituel matinal — faire mon lit, me brosser les dents et m'habiller. Ignorant l'heure à laquelle je pourrais rentrer chez moi, je me dis que j'aurais peut-être le temps de me doucher plus tard.

Je descendis à sept heures tapantes. Nathaniel avait pris place à la table de la cuisine dressée pour deux.

Je décelai dans sa voix et dans son regard une sorte de fébrilité que je ne lui connaissais pas.

— Bonjour, Abigaïl, lança-t-il. Avez-vous bien dormi?

J'avais passé une nuit horrible. Non seulement j'étais allée me coucher toute excitée et sexuellement frustrée, mais dormir nue avait augmenté mon supplice et je m'étais repassé en boucle le film de ce qu'il m'avait fait la veille.

Je m'assis en face de lui.

— Pas vraiment.

— Servez-vous.

Il y en avait assez pour nourrir un régiment : du bacon, des œufs et des muffins aux myrtilles fraîchement sortis du four. Je levai un sourcil interrogateur et il me sourit en réponse.

— Vous arrive-t-il de dormir ? demandai-je.

— Parfois.

Je hochai la tête, comme si cela me semblait être une réponse sensée et attaquai mon assiette. Je n'avais pas réalisé à quel point j'avais faim. J'avais englouti trois tranches de bacon et la moitié de mes œufs lorsqu'il reprit la parole.

— J'ai passé un bon week-end, Abigaïl.

Je me creusai la tête pour comprendre ce qu'il voulait dire. Sans doute le sens de l'humour propre à un dominant.

— J'aimerais poursuivre notre relation, ajouta-t-il.

Je faillis m'étrangler avec mon muffin.

— Vraiment ?

— Je suis très content de vous. Vous avez une personnalité intéressante et vous apprenez vite.

— Merci, monsieur, dis-je, étonnée de ce constat alors qu'il avait passé si peu de temps avec moi.

— Vous avez une décision importante à prendre aujourd'hui. Nous pourrons en discuter en détail quand vous aurez fini votre petit déjeuner et pris une douche. Je suis sûr que vous avez des questions à me poser.

C'était peut-être la seule perche qu'il m'offrirait avant longtemps, aussi décidai-je de la saisir.

— Effectivement, j'aimerais savoir quelque chose, monsieur.

— Je vous en prie, nous sommes à votre table.

Je pris une profonde inspiration.

— Comment avez-vous deviné que je n'ai pas pris de douche hier ni ce matin? Habitez-vous ici pendant la semaine, ou avez-vous un appartement en ville? Comment…?

Il leva la main.

— Une question à la fois. Je suis très observateur. Vos cheveux n'étaient pas humides hier. Et pour ce matin, j'ai pensé que vous n'en aviez pas eu le temps parce que vous vous êtes précipitée à la cuisine comme si vous aviez le diable à vos trousses. Je vis ici le week-end et j'ai un autre domicile en ville.

— Vous ne m'avez pas demandé si j'ai suivi vos consignes la nuit dernière.

— Est-ce le cas?

— Oui.

Il but une gorgée de café.

— Je vous crois.

— Pourquoi?

Il plia sa serviette qu'il plaça soigneusement à côté de son assiette.

— Parce que vous ne savez pas mentir – votre visage est un livre ouvert. Ne jouez jamais au poker, vous perdriez.

Impossible de me mettre colère, même si j'en avais envie. J'avais essayé un jour d'y jouer avec Félicia qui m'avait battue à plate couture.

— Puis-je vous demander autre chose?

— Je suis toujours à table, que je sache.

Je souris. Oui, il était bien là avec ces muscles virils, son corps superbe, ce petit sourire satisfait. Avec moi.

— Parlez-moi de votre famille.

Il plissa le front, comme si je le prenais par surprise.

— Ma tante Linda m'a adopté quand j'avais dix ans. Elle est chef de service à Lenox. Mon oncle est décédé il y a quelques années. Leur fils unique, Jackson, joue dans l'équipe des Giants.

— J'ai vu sa photo dans un journal. Au fait, ma meilleure amie Félicia aimerait savoir s'il est marié ou célibataire.

Ses yeux s'étrécirent et il serra les lèvres si fort que sa bouche forma un pli dur.

— Que lui avez-vous raconté à mon sujet? Il me semble que les documents que vous a fournis Godwin étaient très clairs concernant la confidentialité.

— Ce n'est pas ce que vous pensez. Félicia est mon filet de sécurité en cas de pépin; il fallait que je le lui dise. Elle a compris qu'elle devait tenir sa langue. Vous pouvez me faire confiance. Je la connais depuis ma plus tendre enfance.

— Votre filet de sécurité? Partage-t-elle ce style de vie?

Je secouai la tête.

— Pas du tout, au contraire. Elle savait que j'avais très envie de ce week-end, alors elle a accepté de me rendre ce service.

Il opina, apparemment satisfait de mes explications.

— Jackson n'est pas au courant de ma façon de vivre et, oui, il est célibataire. J'ai tendance à le surprotéger – il a eu sa part de croqueuses de diamants.

— Félicia n'est pas une croqueuse de diamants. Bien sûr, le physique d'athlète de votre cousin n'est pas pour lui déplaire, mais elle a le cœur sur la main et elle est d'une loyauté sans faille.

Il n'avait pas l'air convaincu.

— Que fait-elle dans la vie?

Elle est institutrice en maternelle. Elle est toute menue, rousse, superbe.

— Donnez-moi son numéro. Je le passerai à Jackson et il décidera lui-même.

Je souris. Félicia m'en serait éternellement reconnaissante.

— Pour en revenir à nos moutons, je veux que vous mettiez mon collier, Abigaïl, reprit-il, l'air grave. Pensez-y en prenant votre douche. Rejoignez-moi dans ma chambre dans une heure, nous en reparlerons.

Son collier? Déjà? Je ne pensais pas qu'il me le donnerait si tôt. Comment se faisait-il que je perde la tête chaque fois que j'avais une conversation avec Nathaniel?

Apollon, couché par terre, leva le museau et se mit à geindre.

Une heure plus tard, Nathaniel m'attendait dans sa chambre, une boîte à la main. Un banc matelassé se trouvait au milieu de la pièce. Il me fit signe de m'y asseoir.

— Installez-vous.

En sortant de la salle de bains, j'avais trouvé sur le lit un déshabillé de satin couleur argent avec un soutien-gorge et un slip assortis. Je pensais qu'il était très présomptueux de sa part de me préparer mes vêtements, mais j'avais bel et bien accepté ses conditions.

Voilà pourquoi j'arrangeai la nuisette du mieux que je pus autour de moi et m'assis avec grâce sur le banc. Il portait un jean délavé et rien d'autre, constatai-je. Pas de chaussettes. Même ses pieds étaient parfaits…

Il pivota sur lui-même et posa la boîte sur la commode, près du lit. Lorsqu'il se retourna, il tenait un ras-de-cou en platine formé de deux rangs épais, torsadés comme une corde. Le soleil se réfléchissait dans les facettes des diamants incrustés dans le métal.

— Porter ce bijou signifiera que vous m'appartenez, expliqua-t-il. Vous serez mienne et ferez ce que bon me semblera. Vous m'obéirez sans discuter. Vos week-ends m'appartiendront et j'en ferai ce qui me plaira. Je pourrai utiliser votre corps à ma guise. Je ne serai pas cruel et je ne vous ferai jamais souffrir délibérément, mais je ne suis pas un maître facile, Abigaïl, tenez-vous le pour dit. Je vous demanderai de faire des choses que vous n'auriez jamais crues possibles, mais je pourrai également vous apporter du plaisir à un point inimaginable.

J'en avais d'avance des sueurs froides.

Il avança de quelques pas.

— Comprenez-vous?

J'acquiesçai d'un signe.

— Oui, monsieur.

— Porterez-vous ce collier?

Je hochai vigoureusement la tête.

Il vint se placer derrière moi. Sa main effleura ma nuque tandis qu'il agrafait le collier. C'était la première fois qu'il me touchait depuis le début du week-end et je frémis à ce contact.

— Vous avez l'air d'une reine, dit-il en passant les mains sous les bretelles de la nuisette pour la retirer. Et maintenant vous êtes à moi, ajouta-t-il en glissant les doigts sous mon soutien-gorge pour effleurer mes seins.

— Ils sont à moi.

Ses mains errèrent sur mes hanches.

— À moi.

Il déposa un baiser sur ma nuque et me mordilla doucement la peau si sensible.

Ses lèvres. Ses mains. Ses caresses. Je rejetai la tête en arrière avec un petit gémissement de plaisir.

— À moi.

Ses mains poursuivirent leur exploration plus bas. Il atteignit l'élastique de mon slip, l'écarta et infiltra un doigt dans ma fente.

— Ça aussi, c'est à moi.

Il se met à aller et venir en moi. J'avais eu raison au sujet de ses doigts – ils étaient capables d'accomplir des prodiges. Ils me caressèrent brutalement, profondément, mais lorsque je fus tout près de jouir, il se retira.

— Vos orgasmes m'appartiennent aussi.

Je poussai un grognement de frustration. Bon sang, Me laissera-t-il jouir un jour?

— Bientôt, murmura-t-il. Très bientôt, promis.

Bientôt? Dans une heure, par exemple? Le collier pesait lourd autour de mon cou. Je levai la main pour le toucher.

Il s'empara d'un oreiller placé sur le lit, derrière lui, et le posa par terre.

— Votre mot secret est térébenthine. Il vous suffira de le prononcer pour que tout cesse immédiatement. Vous ôterez le collier, quitterez cette maison et n'y remettrez jamais les pieds. Dans le cas contraire, je vous attends tous les vendredis. Vous arriverez à dix-huit heures et nous dînerons à la cuisine. Vous viendrez quelquefois à vingt heures et me rejoindrez directement dans ma chambre. Mes recommandations concernant le sommeil, l'alimentation et le programme sportif restent valables. Est-ce clair?

Je hochai la tête.

— Bien, poursuivit-il. Je dois souvent assister à des réceptions professionnelles. Vous m'accompagnerez. La prochaine aura lieu samedi prochain – une soirée au profit de l'une des œuvres caritatives soutenues par ma tante. Si vous ne possédez pas de robe de soirée, je vous en fournirai une. Est-ce clair? Avez-vous des questions?

J'étais dans un état second. Impossible de rassembler mes idées.

— Non, je n'ai pas de question, pas pour le moment.

Il s'inclina vers moi et chuchota « Je n'ai pas de question... » à mon oreille.

Il voulait que je dise quelque chose. Mais quoi?

— Allez-y Abigaïl. Vous en avez le droit.

Un éclair de lucidité me traversa l'esprit.

— Je n'ai pas de question, maître.

L'étincelle reparut au fond ses yeux. Il passa derrière l'oreiller et déboutonna son jean.

— Parfait. Maintenant, vous allez me montrer à quel point vous êtes heureuse de porter mon collier.

6

Si Félicia fut surprise de me voir arriver à la maison ce dimanche, elle n'en laissa rien paraître. Du moment où je rentrai en un seul morceau, elle s'abstint de commentaire. Un jour, elle m'avait traitée d'imbécile, ce qui dans son esprit était un avertissement suffisant. De toute façon, elle avait autre chose en tête. Jackson Clark l'avait invitée au gala de charité. Elle avait accepté et depuis, ils se parlaient tous les jours.

Et tandis que Félicia bavardait au téléphone avec son beau footballeur, je m'installai devant mon ordinateur pour consulter l'historique des derniers sites consultés. Je voulais revoir sa photo à elle. Vérifier si elle portait mon collier. Je pianotai impatiemment sur le bureau en attendant. Mon collier. Pouvait-il vraiment m'appartenir si un nombre incalculable d'autres femmes l'avait porté avant moi? La page s'afficha enfin. Je me désintéressai de Nathaniel pour me concentrer sur sa compagne.

Je fus soulagé de constater qu'elle ne portait pas le tour du cou incrusté de diamants, mais un rang de perles. Nathaniel le lui aurait-il offert aussi? J'éteignis l'ordinateur, profondément frustrée.

De lundi à vendredi, j'allai travailler comme d'habitude dans une bibliothèque publique de New York, entourée de livres et d'amoureux de la page écrite. Les livres avaient généralement le don de m'apaiser. Je souligne « généralement ». Deux jours par semaine, je donnais des cours de soutien d'anglais et de littérature à des lycéens. J'aimais les aider, surprendre la lumière qui illuminait leur regard lorsqu'ils parvenaient à résoudre une question particulièrement ardue ou se découvraient un nouveau talent. Le mercredi suivant, l'un de mes étudiants me regarda jouer avec mon collier, « Vous avez un beau bijou, mademoiselle King » déclara-t-il. Cela me fit battre le cœur. Nathaniel m'avait interdit de le retirer. J'essayai de ne pas penser à ce que diraient les parents du garçon s'ils savaient à quoi j'avais passé le week-end dernier. Ou ce que je prévoyais pour le prochain.

Cela ne regarde personne. Je fais ce que je veux. Et puis j'eus comme un flash – je n'étais plus maîtresse de mon temps pendant les week-ends. Il appartenait à Nathaniel.

La semaine s'étira en longueur jusqu'au vendredi. Dire que cinq jours à peine s'étaient écoulés depuis que je l'avais vu… cela m'avait paru une éternité.

Il m'attendait lorsque j'arrivais chez lui à dix-huit heures pile. Il avait préparé des spaghettis aux palourdes.

— Comment s'est passée votre semaine? s'enquit-il après la première bouchée.

J'optai pour la sincérité.

— J'ai trouvé le temps long. Et vous?

Il haussa les épaules. Il n'allait certes pas m'avouer qu'il avait attendu le week-end avec impatience. Et en admettant que oui, cela ne lui faisait sûrement pas battre le cœur plus vite, comme à moi.

À quoi passerions-nous la soirée? Allait-il enfin me toucher? Le souvenir de ses mains sur mon corps me donnait des frissons.

— Apollon a tué un écureuil.

C'était débile, nous étions là en train de dîner comme un couple ordinaire. Comme un vendredi soir normal. Comme s'il ne m'avait pas enchaînée, nue, moins d'une semaine auparavant, et m'avait fouettée avec une cravache. Comme si je n'avais pas aimé cela. Je m'agitai sur ma chaise.

— La femme de mon ami Todd, Elaina, vous a apporté une tenue de soirée tout à l'heure. Ils ont hâte de faire votre connaissance.

Je relevai la tête.

— Vos amis? Tout le monde est au courant à notre sujet?

Il enroula des pâtes autour de sa fourchette qu'il porta à sa bouche. Cette bouche… Ces lèvres… Je le regardais mastiquer et avaler sans se presser… Il commençait à faire très chaud dans la cuisine. J'engloutis rapidement une nouvelle bouchée.

— Ils savent que vous êtes mon amie. Quant à notre accord, non, ils ne sont pas au courant.

Un accord? Belle façon de présenter les choses. Je me concentrai sur mon assiette. En face de moi, Nathaniel passait le doigt sur le bord de son verre. Il se moquait, se jouait de moi comme on joue d'un violon. Avec maestria.

— Avez-vous l'intention de me toucher ce week-end, oui ou non?

Son doigt s'immobilisa et il plissa les yeux.

— Un peu de respect, Abigaïl. Certes, nous nous trouvons à votre table, mais cela ne signifie pas que vous pouvez prendre des libertés.

Je piquai un fard.

Il attendait.

Je baissai la tête.

— Allez-vous me toucher ce week-end, maître ?

— Regardez-moi.

Je m'exécutai. Ses yeux verts lançaient des éclairs.

— Je vais faire plus que vous toucher, articula-t-il lentement. J'ai l'intention de vous baiser. Vite, fort et souvent.

Je sentis comme une décharge électrique se propager depuis mon crâne jusqu'à la zone presque douloureuse entre mes jambes. Sûr de lui et autoritaire, il pouvait obtenir par de simples paroles plus que ce que bien des hommes n'en étaient capables avec leur corps.

Il se leva.

— Ne perdons pas de temps. Je vous donne quinze minutes pour vous préparer et venir me retrouver, nue, dans mon lit.

7

Je commençai à comprendre comment fonctionnait Nathaniel. Un seul de ses regards suffisait à m'enflammer. Un simple mot, une phrase, et je crevais d'envie qu'il me touche.

Comme en cet instant, pendant que je l'attendais sur son lit. Il me rendait folle et il n'était même pas là. Le dîner avait tiré en longueur, tels des préliminaires interminables. À force de le regarder déguster ses pâtes, jouer avec ses doigts sur son verre, j'étais tendue comme un arc, mon corps était prêt, j'étais sur le point de ramper à ses pieds et de le supplier.

Et il ne m'avait même pas encore touchée.

Il entra et s'approcha avec une lenteur délibérée. La lueur d'une bougie éclairait son torse nu, assombrissant son regard. Il se dirigea en silence au pied du lit et souleva les chaînes.

Mon côté rationnel m'incitait à crier « térébenthine ». À fuir cet homme qui avait pris possession de moi, corps et âme.

Au lieu de quoi, je réprimai mon excitation et le regardai m'enchaîner au lit, écartelée.

Il me parla d'une voix douce, troublante.

— Je n'avais pas l'intention de remettre ça ce soir, mais je m'aperçois que vous n'avez pas tout à fait compris. Vous êtes à mon entière disposition et vous devez exécuter mes ordres. La prochaine fois que vous me manquerez de respect, c'est la fessée. Ne recommencez pas. Compris?

J'opinai en essayant de cacher à quel point l'idée m'échauffait.

— Ma dernière soumise me donnait trois orgasmes par nuit, confessa-t-il. J'en veux quatre.

Je me demandais s'il faisait allusion à la blonde.

Quatre? Était-ce humainement possible?

Il tira un foulard noir de sa poche.

— Et je veux que vous abdiquiez toute volonté.

Je pris une profonde inspiration. Je pouvais le faire. Je voulais le faire. Je dardais mon regard sur le sien. Il me banda les yeux et je ne vis plus rien.

J'entendis le cliquetis métallique d'une fermeture Éclair et compris qu'il retirait son pantalon. À présent, il était nu, comme moi. Mon cœur s'emballa.

Deux mains puissantes se posèrent sur mes épaules puis se promenèrent vers mes hanches. Elles glissèrent sur mes seins sans s'attarder et tracèrent un cercle autour de mon nombril. Un doigt s'égara plus bas et effleura l'intérieur de mes cuisses. Je gémis sourdement.

— Depuis combien de temps, Abigaïl? Répondez-moi.

Depuis quand j'avais fait l'amour la dernière fois?

— Trois ans.

J'espérais qu'il n'allait pas me poser de questions. Nous étions enfin nus sur son lit – je n'avais aucune envie de penser à mes ex-petits amis dont aucun n'avait réussi à me satisfaire.

Son doigt replongea en moi. Je sentis trembler le lit alors qu'il se rapprochait.

— Vous n'êtes pas encore prête. Vous devez l'être complètement, sinon je ne pourrai pas vous faire tout ce que je veux.

Il retira son doigt, puis sa bouche effleura ma nuque et il déposa une pluie de baisers de plus en plus bas jusqu'à mon sein. Il traça des cercles autour du mamelon en soufflant doucement. Ses lèvres aspirèrent ensuite l'un de mes tétons qu'il se mit à sucer, enroulant sa langue autour de la pointe érigée. Je haletai lorsqu'il la mordilla du bout des dents.

Il s'activa ensuite sur l'autre, doucement, puis de plus en plus fort. Je me cambrai sans pudeur. J'allais exploser s'il continuait. Il poursuivit ses assauts sur mes seins, tout en promenant une main plus loin. Ses doigts pétrissaient ma peau en poursuivant leur course entre mes jambes largement ouvertes, en attente. Il me pétrissait sans douceur et je me haussai contre lui, tellement j'avais besoin qu'il me touche, besoin d'être prise.

Ses mains et sa bouche m'abandonnèrent, et je gémis lorsque l'air frais s'engouffra sur ma peau. Le lit bougea de nouveau quand il m'enfourcha. Sa verge dure, épaisse, s'immisça dans la vallée entre mes seins.

Il se plaqua contre moi.

— Je suis las d'attendre. Êtes-vous prête? Dites-le moi.

— Oui, maître, oui. Maintenant, je vous en prie.

Il souleva les hanches, et je sentis l'extrémité de son sexe presser contre ma bouche.

— Embrassez ma bite avant que je vous pénètre.

Je pressai mes lèvres serrées contre son gland sans intention d'aller plus loin. Vraiment. Mais quand je sentis une goutte de sève, je me mis à la lécher du bout de la langue, incapable de me retenir.

Il poussa un soupir étranglé et me donna une tape sur la joue.

— Je ne vous ai pas permis.

Quelque chose en moi se réjouit d'avoir réussi à fendre son armure et ébranler sa belle assurance. Soudain, il se déplaça plus bas. D'une main, il souleva mes hanches et j'oubliai tout pour me concentrer sur ce qu'il allait me faire subir. On aurait dit que chacune de mes terminaisons nerveuses prenait feu.

Je poussai un gémissement de plaisir quand il se fraya un passage avec douceur.

Oui!

Il s'enfonça plus loin et je m'abandonnai à la sensation de son sexe qui m'emplissait, me comblait. Comme jamais auparavant. Il se mit à bouger sans hâte, glissant en moi jusqu'à la douleur.

Il était vraiment trop gros.

Il jura entre ses dents.

Il se déplaça un peu plus haut, empoigna mes hanches à deux mains et me fit basculer pour se frayer un chemin plus aisément.

— Bougez avec moi.

Je m'arc-boutai contre lui et sentis qu'il s'enfonçait de quelques centimètres. Nous poussâmes une plainte en même temps. Un dernier grand coup de bassin et il replongea jusqu'à la garde.

Je chavirai sous mon bandeau.

Il se retira presque complètement avant de recommencer. Il me testait, s'amusait à me tourmenter. J'en avais assez des préliminaires. Il me fallait plus. J'ondulai les hanches lorsqu'il me pilonna de nouveau.

— Êtes-vous prête? répéta-t-il.

Je n'eus pas le temps de répondre qu'il se retirait brutalement, me laissant vide. Je poussai un gémissement de frustration. Il inspira à fond et se poussa en moi avec force avant de m'abandonner aussitôt après.

Je tirai sur les chaînes, malade de désir. Il revint. Soufflant le chaud et le froid encore et encore. Me clouant plus violemment sur le lit à chaque assaut. En réponse, je balançai les hanches pour l'accueillir encore plus loin. J'en voulais plus, plus vite, plus fort.

Je sentis l'orgasme enfler, déferler vague après vague à chaque nouvelle poussée.

Il allait et venait, m'emprisonnant de ses mains solidement cramponnées à mes hanches.

— Jouissez quand vous voulez, haleta-t-il, en se propulsant une dernière fois

J'explosai alors en un million d'étoiles.

Il s'enfonça avec encore plus de vigueur puis s'immobilisa, les muscles tremblants, pendant qu'il se vidait en moi. Encore quelques ultimes pénétrations et je me retrouvai une fois de plus au bord de l'extase.

Il reprit son souffle.

Je revins lentement à moi.

Des mains avides se promenaient partout sur mon corps.

Il écarta mes cheveux et me chuchota « un » à l'oreille.

Pour le deuxième round, il détacha mes jambes des chaînes qui les enserraient, mais n'ôta pas le bandeau de mes yeux. À sa demande, j'enroulais mes cuisses autour de ses hanches pour lui donner un meilleur accès. Il avait beau avoir beaucoup plus d'expérience que moi, j'avais envie de lui dire qu'il était impossible de s'enfoncer plus loin.

J'eus la bonne idée de garder cette pensée pour moi car, lorsqu'il me pénétra une deuxième fois, mes jambes nouées autour de sa taille, il coulissa en moi sans difficulté, découvrant des endroits dont je n'avais jamais soupçonné l'existence.

Il se leva, me laissant pantelante, à bout de souffle. Il s'activa à côté de moi. Je tournai la tête dans sa direction, même si je ne pouvais toujours rien voir.

Il me détacha les bras et ôta le bandeau.

— Vous dormirez dans ma chambre, ce soir, Abigaïl. Nous recommencerons au cours de la nuit, et je ne veux pas avoir à traverser le couloir. Je vous ai préparé un lit, poursuivit-il en indiquant le sol d'un geste de la main.

Ce type était vraiment cinglé! Il voulait que je dorme par terre? Et puis quoi encore? Je fronçai les sourcils, furieuse.

— Vous avez un problème?

Je secouai la tête et m'assoupis quelques minutes plus tard entre les draps frais, étalés au pied du lit.

— Réveillez-vous Abigaïl.

Combien de temps s'était écoulé? Des heures? Quelques minutes? Je n'aurais su le dire. Une bougie éclairait faiblement la chambre, plongée dans la pénombre.

— Accroupie sur le lit. Vite.

À moitié endormie, j'obéis en vitesse et me mis à quatre pattes.

— Appuyez-vous sur les coudes.

Je m'exécutai.

Deux fortes mains glissèrent le long de mon dos et m'écartèrent les jambes.

— Vous étiez étroite par l'autre orifice, mais vous le serez encore plus par là.

Sa bouche sensuelle acheva de me réveiller en quelques secondes.

Ses mains errèrent sur mon dos, puis sur mes épaules avant de s'attarder sur ma poitrine. Il fit rouler mes mamelons entre ses doigts, les pinçant tour à tour avec force. Puis ses doigts s'égarèrent vers ma fente palpitante. Il y infiltra un doigt, qu'il promena ensuite sur mes fesses puis autour de mon petit trou.

Je retins mon souffle.

Ses doigts se pressèrent contre l'étroit orifice.

— On vous a déjà prise de cette façon?

La question était purement rhétorique. Il connaissait déjà la réponse grâce au formulaire que j'avais rempli. Je secouai la tête, incapable de prononcer une parole. J'étais plutôt choquée, personne ne s'étant intéressée jusqu'alors à cette partie de mon anatomie.

— Ce sera donc une première pour vous.

Chacun de mes muscles se raidit.

— Bientôt, dit-il en ôtant son doigt, tandis que je me rappelai de respirer.

Bientôt, peut-être, mais il n'était visiblement pas pressé.

Il promena ses doigts là où j'étais toute mouillée, prête pour lui. Il se dirigea ensuite vers mon crâne et enroula quelques mèches autour de ses poignets. Le plaisir de le sentir à l'intérieur de moi se mêlait à la douleur de ses mains qui me tiraient les cheveux. C'était délicieux, intense. Je laissai échapper un petit cri de plaisir.

Il se retira et se força de nouveau un passage avec frénésie en agrippant mes cheveux. Encore et encore. Il avait raison, j'étais plus étroite. Je sentais chaque parcelle de son sexe. Chaque nouvelle poussée le propulsait plus loin et fichait mes genoux plus profondément dans le matelas. Cramponnée aux draps, j'arquai le dos pour le rejoindre. Il lâcha un grognement de plaisir.

Le corps secoué de spasmes convulsifs, je sentis le picotement familier d'une délivrance proche s'amplifier au moment où Nathaniel donna une dernière ruade. Je hurlai de bonheur, terrassée par un orgasme d'une rare violence. Il bascula à son tour et jouit dans un grognement rauque.

Je retombai sur le lit, à bout de souffle. Je crois même m'être assoupie quelques minutes.

Je me réveillai en sursaut lorsqu'il me retourna et pressa son bassin contre mon visage.

— Quatrième manche, Abigaïl.

Son érection était déjà incroyablement dure. Ce n'était pas possible. Quelle heure était-il ? Je me dévissai le cou pour consulter la pendule près du lit.

Il dirigea ma tête vers sa bite.

— Regardez-moi. Je dois être l'objet de vos attentions. Moi et les ordres que je vous donne. À présent, je veux que vous me preniez dans votre bouche.

J'obéis, pleine de bonne volonté. Et plus tard, lorsqu'il jouit pour la quatrième fois et s'effondra sur moi, hors d'haleine, je souris.

J'étais certaine de l'avoir bien servi.

8

La caresse du soleil sur ma peau me réveilla. Désorientée, je battis plusieurs fois des paupières. Où me trouvais-je? J'aperçus une masse compacte sur ma droite. Ah oui. J'étais couchée par terre. Au pied du lit de Nathaniel.

J'étirai mes jambes en réprimant une plainte, le corps endolori à des endroits dont j'ignorais l'existence, et à d'autres que j'avais oubliés depuis longtemps. Je me levai avec difficulté et fis quelques pas. J'aurais donné n'importe quoi pour un long bain brûlant, mais j'allais devoir m'en passer.

Après une longue douche méticuleuse, je me dirigeai vers la cuisine en titubant. Nathaniel était assis à table, à ma table, vissé à son téléphone, probablement occupé à envoyer des textos ou des e-mails. Il avait l'air en pleine forme.

Les femmes n'avaient pas de chance avec la biologie.

Littéralement.

— Nuit agitée? me demanda-t-il sans même me regarder.

Bon, nous étions à la cuisine. Je pouvais m'exprimer sans fard.

— Pardon?

— Nuit agitée, hein? répéta-t-il, un petit rictus retroussant ses lèvres.

Je me versai du café sans le quitter des yeux.

Il me titillait. J'avais peine à marcher, mal au dos d'avoir dormi par terre, tout cela par sa faute, et il osait plaisanter?

C'était charmant, à condition d'être complètement tordu.

J'attrapai un muffin aux myrtilles dans l'assiette et pris place avec précaution sans parvenir à dissimuler une grimace.

— Vous avez besoin de protéines, déclara-t-il.

— Ça va très bien, rétorquai-je en mordant dans le gâteau.

— Abigaïl.

Je me levai et clopinai jusqu'au réfrigérateur pour en sortir un sachet de bacon. En plus, j'allais devoir me préparer mon petit déjeuner, pestai-je mentalement.

— Il y a deux œufs dans le chauffe-plats pour vous. Et aussi une boîte de Doliprane sur la première étagère du deuxième placard, à côté du micro-ondes, ajouta-t-il en me suivant du regard pendant que je replaçai le bacon dans le frigo et allai chercher les œufs.

J'étais pitoyable. Il devait sans doute regretter de m'avoir donné son collier.

— Je suis désolée. Ça faisait longtemps…

— Inutile de vous excuser, c'est absurde. C'est plutôt votre comportement de ce matin qui m'agace. Je n'aurais pas dû vous laisser faire la grasse matinée.

Je me rassis, les yeux baissés.

— Regardez-moi. Je dois partir. Vous avez tout le temps de vous préparer pour le gala de charité de ce soir. Je vous attendrai dans l'entrée à seize heures trente précises.

Je hochai la tête.

Il se leva de table.

— Il y a une grande baignoire dans la chambre en face de la vôtre. Vous pouvez l'utiliser, si vous le désirez.

Sur ces mots, il s'en fut.

Je repris un visage humain après un long bain et quelques cachets d'Ibuprofène. Je me séchai, me préparai une tasse de thé et appelai Félicia qui répondit à la première sonnerie.

— Salut !

— Abby ? Je ne savais pas que tu avais le droit de téléphoner.

— Ce n'est pas à ce point-là.

— Je sais, tu n'arrêtes pas de me le répéter, répondit-elle l'air de dire cause-toujours-tu-m'intéresses. Et bien sûr, comme tu es seule, tu n'as rien de mieux à faire.

Là, elle marquait un point, ce qui n'était pas si fréquent.

— Comment le sais-tu ?

— Jackson m'a dit qu'il jouait au golf et déjeunait avec Nathaniel et un autre type, Todd, je crois, avant le gala de ce soir. Et comme Nathaniel ne te dit jamais rien, tu ne pouvais pas le deviner.

Je pouvais imaginer son sourire satisfait au téléphone et je me demandais ce qui m'avait pris de l'appeler.

— Je ne l'ai pas beaucoup vu, ce matin, admis-je sur un ton dégagé, comme s'il m'était complètement égal que Nathaniel n'ait pas daigné m'informer de son emploi du temps.

C'était un mensonge. En fait, j'étais froissée dans mon amour-propre, sans trop savoir pourquoi.

— Et je te rappelle, précisai-je, que Jackson n'est pas au courant pour Nathaniel et ses…

— Franchement, Abby, ta vie sexuelle dépravée n'est pas vraiment le sujet dont on a envie de parler lors d'un premier rendez-vous.

La porte d'entrée s'ouvrit et se referma.

— Je te laisse, il vient de rentrer, dis-je, à la fois soulagée de mettre un terme à cette conversation stupide, et surexcitée à l'idée que Nathaniel soit déjà de retour.

— Tu es sûre? demanda-t-elle, témoignant d'un semblant d'intérêt pour une fois. C'est trop tôt, si tu veux mon avis. En plus, Jackson m'avait dit qu'il appellerait dès qu'il aurait terminé, or il ne l'a pas encore fait, tu saisis?

— Il faut que j'y aille, salut.

Je raccrochai au moment où quelqu'un entrait dans la cuisine.

Une femme svelte et élancée, aux courts cheveux bruns, portant des lunettes à monture rouge, me lança un coup d'œil surpris. Mon expression n'était sans doute pas très différente de la sienne.

— Oh, j'ignorais qu'il y avait quelqu'un! lança-t-elle.

— Qui êtes-vous? demandai-je, persuadée que Nathaniel m'aurait prévenue s'il avait su que j'aurais de la visite.

Elle me tendit la main.

— Elaina Welling. Mon mari Todd et Nathaniel se connaissent depuis toujours.

Je lui serrai la main.

— Abby King. Désolée. Nathaniel ne m'a pas avertie que quelqu'un devait passer.

Ses yeux s'arrêtèrent sur mon collier et je mis main à couper qu'elle eut un petit sourire entendu. Elle brandit une pochette de soirée en satin noir.

— Je l'ai oubliée lorsque j'ai apporté la robe, l'autre jour.

— Aimeriez-vous une tasse de thé?

Elle s'assit à côté de moi.

— Volontiers, merci.

Je la servis et nous bavardâmes agréablement. Elaina était une personne charmante et résolument pragmatique. Quinze minutes plus tard, il me semblait la connaître depuis toujours. Elle avait déménagé dans le quartier des Clark juste avant d'entrer au lycée et Linda était devenue sa seconde mère.

Lorsque je mentionnai que la mienne était décédée quatre ans plus tôt, elle me prit la main en hochant la tête.

— Elle vous manquera toujours, mais la douleur s'atténue avec le temps, croyez-moi.

Pendant notre conversation, je remarquai les regards insistants qu'elle posait sur mon collier, mais elle s'abstint de commentaire à ce sujet. Je me demandai brièvement si Nathaniel avait menti en m'assurant que sa famille et ses amis n'étaient pas au courant de son style de vie si particulier, puis je me dis qu'il n'était pas du genre à affabuler.

Trente minutes au moins s'étaient écoulées sans que nous voyions le temps passer, quand Elaina consulta sa montre.

Oh mon Dieu ! vous avez-vous vu l'heure ? Il va falloir se dépêcher si nous ne voulons pas être en retard.

Elle m'embrassa en me promettant de poursuivre la conversation plus tard dans la soirée.

J'ai une imagination fertile, et lorsque j'avais essayé de deviner la tenue que Nathaniel voulait me voir porter à cette soirée, j'avais tout de suite pensé à du cuir et de la dentelle. La robe qui m'attendait sur mon lit était sublime. Une pièce unique que je n'aurais jamais eu les moyens de me payer, même avec une avance de deux ans sur mon salaire. En satin noir, avec un décolleté profond et de fines bretelles, elle moulait le corps sans être vulgaire ni trop osée non plus. Elle m'arrivait aux pieds en s'évasant légèrement. J'étais emballée.

D'ordinaire, je n'aimais pas trop me maquiller, mais Félicia était incapable de passer devant un rayon de cosmétiques sans faire une halte, du coup, j'avais été à bonne école. Je relevai mes cheveux en un chignon sophistiqué dénudant mes épaules, et me regardai dans la glace, assez fière de moi.

Pas trop mal, Abby, me dis-je. Je pense que tu pourras te montrer sans rougir devant tout le monde, Nathaniel en particulier.

Je repassai rapidement dans ma chambre afin d'enfiler des escarpins à hauts talons, puis descendis l'escalier en trombe pour rejoindre Nathaniel, aussi excitée qu'une ado à son premier rendez-vous.

Je m'immobilisai.

Il m'attendait. Il était de dos, vêtu d'un long manteau noir, une écharpe sombre autour du cou. J'eus le temps de remarquer que ses cheveux frôlaient sa nuque quand il m'entendit et se retourna.

Je l'avais déjà vu en jean et en costume, mais là, en smoking, il était à tomber.

— Vous êtes ravissante, dit-il.

— Merci, maître, bafouillai-je d'une voix étranglée.

Il me tendit une étole noire.

— On y va?

J'acquiesçai en m'avançant comme sur un nuage. J'ignorais comment il s'y était pris, mais je me sentais belle.

Il enveloppa mes épaules dans l'étoffe soyeuse, frôlant ma peau au passage du bout des doigts. Des visions torrides de la nuit précédente me traversèrent l'esprit. Je me rappelai ses mains, ce qu'elles avaient fait sur tout mon corps.

Pas moyen de me contrôler, j'étais sur les nerfs. Stressée d'être vue avec Nathaniel. Un jour, il m'avait déclaré que l'humiliation en public n'était pas son truc. Espérons que cela signifiait qu'il ne me demanderait pas de le sucer sous la table. En plus, j'étais terrifiée à l'idée de rencontrer sa famille. Qu'allaient-ils penser de moi? Il avait l'habitude de fréquenter des célébrités ultra-sophistiquées, pas de vulgaires bibliothécaires.

Janvier à New York est glacial, et ce mois-là battait des records de froid. Quoi qu'il en soit, on pouvait faire confiance à Nathaniel – le moteur tournait déjà et une douce chaleur régnait dans la voiture. Il m'ouvrit la portière en vrai gentleman et la referma lorsque je fus installée.

Nous roulâmes en silence pendant un bout de temps. Un peu plus tard, quand il finit par se décider à allumer la radio, les accords harmonieux d'un concerto pour piano s'élevèrent dans l'habitacle.

— Quel genre de musique aimez-vous? demanda-t-il.

L'exquise mélodie avait un effet apaisant.

— J'aime beaucoup celle-ci.

La conversation languit jusqu'à la fin du trajet.

À notre arrivée, un voiturier se chargea du véhicule et nous entrâmes dans le bâtiment. Résidant à New York depuis quelques années, je m'étais habituée aux gratte-ciel et à la cohue, mais ce soir-là, en gravissant les marches comme si j'appartenais à la haute société que je me contentais d'ordinaire d'observer du dehors, je me sentais complètement dépassée. Par chance, Nathaniel me pilotait, une main dans le creux de mon dos, ce que je trouvais curieusement rassurant.

J'inspirai à fond pour essayer de me calmer pendant qu'il confiait son manteau et mon étole au vestiaire.

Elaina se dirigea vers nous dès qu'elle nous aperçut, un grand et bel homme sur ses talons.

— Nathaniel! Abby! Enfin, vous voilà!

Nathaniel inclina légèrement la tête.

— Bonsoir, Elaina. Je vois que tu as déjà fait la connaissance d'Abby, enchaîna-t-il en se tournant vers moi, le sourcil froncé.

Je n'avais pas mentionné la visite d'Elaina, ayant la vague intuition qu'il désapprouverait.

Elle lui tapota le torse de la main.

— Allez, détends-toi. J'ai fait un saut chez toi tout à l'heure et nous avons pris le thé, c'est tout. Abby, je vous présente mon mari Todd, poursuivit-elle à mon intention. Todd, voici Abby.

Todd me serra la main. Il me plaisait assez. Contrairement à sa femme, il n'avait pas l'air choqué à la vue de mon collier. Je jetai un coup d'œil alentour pour vérifier si Jackson et Félicia étaient arrivés.

— Nathaniel! appela une voix.

Celle qui se tenait devant nous possédait la grâce et l'élégance d'une reine, un doux regard et un sourire accueillant.

Je compris instantanément que c'était la tante de Nathaniel.

— Linda, fit Nathaniel, confirmant mon hypothèse, j'aimerais te présenter Abigaïl King.

Nathaniel pouvait m'appeler Abigaïl, si cela lui chantait, mais je n'allais quand même pas laisser tout le monde me nommer ainsi.

Je lui tendis la main.

— Appelez-moi Abby, je vous en prie.

— Nathaniel m'a appris que vous travaillez à la bibliothèque publique de New York, la branche de Mid-Manhattan, dit-elle après m'avoir chaleureusement serré la main. J'y passe parfois sur le chemin de l'hôpital. Nous pourrions peut-être déjeuner ensemble un de ces jours?

Avais-je le droit d'accepter l'invitation? Cela me paraissait beaucoup trop intime et familier. Mais pas question de décliner son offre.

— J'en serais très heureuse, dis-je, sincère.

Elle m'interrogea sur les dates de parution des nouveaux romans de quelques-uns de ses auteurs préférés. Nous parlâmes littérature quelques instants – nous préférions les enquêtes criminelles aux romans de science-fiction, par exemple – lorsque Nathaniel nous interrompit.

— Je vais chercher à boire. Rouge ou blanc?

Je me pétrifiai. S'agissait-il d'un test? Lui importait-il vraiment de savoir ce que je préférais? Quelle était la bonne réponse? Je m'étais sentie si à l'aise avec sa tante que j'en avais presque oublié que je n'étais pas sa petite amie officielle.

Nathaniel s'inclina vers moi.

— Ce n'est pas une colle, me chuchota-t-il à l'oreille. Je veux juste savoir.

— Rouge, alors.

Avec un hochement de tête, il alla chercher nos boissons. Je le suivis des yeux – c'était un plaisir de le regarder marcher. Un adolescent l'arrêta à mi-chemin du bar. Ils s'embrassèrent.

Je me tournai vers Elaina.

— Qui est-ce? questionnai-je, incapable d'imaginer que quiconque pouvait avoir le cran d'aborder Nathaniel pour l'embrasser sans vergogne.

— Kyle. Le receveur de Nathaniel.

J'étais dans le noir le plus complet.

— Le receveur?

— De sa moelle osseuse, bien entendu, expliqua-t-elle en désignant une banderole à l'autre bout de la pièce que je déchiffrais — il s'agissait du gala de charité de l'Association new-yorkaise de moelle osseuse.

— Nathaniel a fait un don de moelle osseuse?

— Oui, il y a quelques années. Kyle avait huit ans, je crois, et Nathaniel lui a sauvé la vie. Ils ont percé des trous à quatre endroits différents sans anesthésie. Après coup, il a dit que cela en valait la peine, puisqu'il avait pu sauver une vie.

J'avais probablement toujours l'air aussi ahurie lorsque Nathaniel reparut. Heureusement pour moi, on nous pria de passer immédiatement à table, ce qui m'évita d'inventer n'importe quoi en guise d'explication.

Jackson et Félicia étaient déjà installés à notre table, les yeux dans les yeux, plongés dans une conversation animée. Nathaniel m'avança galamment une chaise. Félicia nous adressa un bref sourire avant de reporter toute son attention sur son compagnon.

— On dirait qu'ils nous doivent une fière chandelle, ces deux-là, commenta Nathaniel après avoir pris place à son tour.

Au bout de quelques minutes, Jackson se leva pour me serrer la main de l'autre côté de la table.

— Bonsoir Abby, j'ai l'impression de vous connaître déjà.

Je fusillai ma meilleure amie du regard.

Je n'y suis pour rien, je ne sais même pas de quoi il parle, se défendit-elle avec une mimique expressive.

— Alors, Nathaniel, dit Jackson, c'est cool non? Nous sortons toi et moi avec deux bonnes amies. Ç'aurait été encore mieux si elles avaient été sœurs, hein?

— Boucle-la, Jackson, lança Todd. Un peu de tenue, s'il te plaît.

— Allons, les garçons, vous allez faire fuir nos deux charmantes invitées si vous continuez à vous chamailler, intervint Linda.

Les garçons, comme elle les appelait, se calmèrent instantanément. Je devinai qu'ils avaient dû faire les quatre cents coups dans leur jeunesse. Ils n'arrêtaient pas d'échanger des plaisanteries d'un goût plus ou moins douteux. Nathaniel faisait chorus, bien qu'avec une certaine réserve.

Les hors-d'œuvre arrivèrent. Le serveur plaça devant moi une assiette contenant trois énormes coquilles Saint-Jacques.

— Trois Saint-Jacques? s'exclama Jackson. Ce n'est pas raisonnable. Je dois surveiller ma ligne, les matchs éliminatoires vont bientôt commencer.

Cela ne l'empêcha pas de s'attaquer à son assiette qu'il finit jusqu'à la dernière miette, tout en grommelant entre ses dents qu'il s'agissait d'une nourriture pour femmelette.

— Jackson a été élevé par des ours, me souffla Nathaniel à l'oreille. Au point que Linda lui interdisait presque d'entrer à la maison. C'est pour cela qu'il s'est aussi bien intégré à l'équipe. Ce sont tous des bêtes.

— J'ai entendu, prévint son cousin.

Félicia gloussa.

Arrivèrent ensuite le plat de résistance et la salade. Concernant Jackson, je n'en savais rien, mais moi, j'étais repue et sur le point d'éclater. La conversation se poursuivit à bâtons rompus. Elaina était styliste de mode et elle régala les convives des faux pas survenus lors des défilés auxquels elle avait assisté. Jackson renchérit avec une foule d'anecdotes concernant le football.

Je terminai mon assiette avant de me tourner vers Nathaniel.

— Excusez-moi, mais je dois me repoudrer le nez, dis-je en aparté en me levant de table.

Les trois hommes bondirent sur leurs pieds en même temps.

Je faillis me rasseoir. J'avais vu la scène dans un film, j'en avais même lu la description dans des livres, mais il ne m'était encore jamais arrivé que tout le monde se dresse comme un seul homme en mon honneur. Félicia avait l'air aussi abasourdie que moi.

Elaina vola à mon secours.

— Venez, dit-elle en me prenant la main. Je vous accompagne.

Je lui emboîtai le pas, slalomant parmi les tables.

— C'est un peu pénible quand nous sommes tous ensemble, je reconnais, mais on s'y habitue, vous verrez, affirma-t-elle.

Je n'eus pas le cœur de lui dire que je ne pensais pas être invitée à d'autres réunions de famille. Les lavabos étaient plus vastes que ma cuisine. Lorsque j'émergeai des toilettes, à l'autre bout, je trouvai Elaina qui m'attendait, assise devant une grande coiffeuse brillamment éclairée. Elle se poudrait inutilement le nez. Moi, je la trouvais parfaite telle qu'elle était.

— Abby, vous arrive-t-il d'être habitée par une certitude absolue? demanda-t-elle. Être intimement persuadée de savoir quelque chose? Tout au fond de votre cœur?

Je haussai les épaules et rectifiai mon maquillage, histoire de me donner une contenance.

— Moi, oui, poursuivit-elle, et je veux que vous le sachiez – Nathaniel et vous êtes faits l'un pour l'autre. J'espère que vous ne m'en voulez pas de me mêler de ce qui ne me regarde pas, mais j'ai l'impression de vous connaître depuis toujours.

— Moi aussi. Je veux parler de l'impression de vous connaître depuis toujours. Quant à Nathaniel, non, je n'en suis pas si sûre.

— Il a un caractère de cochon et se laisse difficilement apprivoiser, je sais. Mais je ne l'ai jamais vu aussi détendu que ce soir. C'est votre influence, j'en suis persuadée.

J'appliquai mon rouge à lèvres d'une main tremblante. Je réfléchirais à cette conversation plus tard, une fois seule dans ma chambre. Ou alors durant la semaine, loin de lui. Quand je n'aurais plus besoin de surveiller chacun de mes faits et gestes.

Je fourrai mon tube de rouge dans mon sac d'un air absent, lorsque Elaina me serra dans ses bras.

— Ne vous fiez pas aux apparences, conclut-elle. C'est un type bien.

— Merci, Elaina.

Le dessert et le café étaient servis lorsque nous regagnâmes notre table. Les hommes se levèrent de nouveau et Nathaniel avança ma chaise. Elaina me fit un clin d'œil de l'autre côté de la table. Je baissai le nez sur mon cheesecake au chocolat. Avait-elle raison? J'aurais été bien en peine de le dire.

Après dîner, un petit orchestre commença à jouer. Des couples se mirent à danser. Les deux premiers airs étaient plutôt rapides et je me calai au fond de ma chaise pour profiter du spectacle. Le troisième était un peu plus lent, une simple mélodie au piano.

Nathaniel s'approcha, la main tendue.

— Voulez-vous danser, Abigaïl?

Je ne savais pas danser. J'avais la réputation de faire le vide autour de moi tellement j'étais nulle. Mais mon esprit était encore plein des confidences d'Elaina et, à l'autre bout de la table, j'aperçus du coin de l'œil Linda porter une main à ses lèvres, comme pour dissimuler un sourire.

Je plongeai mon regard dans les yeux verts de Nathaniel et constatai que ce n'était pas un ordre. J'aurais pu dire non. Un refus poli, qui n'aurait posé aucun problème. Mais à cet instant-là, je désirais plus que tout au monde qu'il me prenne dans ses bras pour le sentir tout contre moi.

J'acceptai sa main.

— Volontiers.

Nous avions eu la relation la plus intime qui soit, mais je ne m'étais jamais sentie aussi proche de lui que lorsqu'il m'enlaça et m'attira à lui, nos doigts emmêlés, pressés sur son torse.

J'étais certaine qu'il me sentait frissonner dans ses bras, et je me demandais si c'était l'idée qu'il avait derrière la tête – me voir trembler et souffrir en public.

Il en était bien capable.

— Passez-vous une bonne soirée? questionna-t-il.

— Oui, répondis-je, enivrée par son haleine tiède tout contre mon oreille.

Il m'attira plus près et me fit tournoyer lentement, au rythme de la musique.

— Vous avez captivé tout le monde, ce soir.

J'essayais d'assimiler ce que j'avais appris à son sujet au cours de la soirée. Le don de moelle osseuse à un inconnu, les plaisanteries avec sa famille et ses amis. Les confidences d'Elaina. Je tentais de rattacher tout cela à l'homme qui m'avait ligotée à son lit, l'autre nuit. Celui qui affirmait être un maître exigeant. En vain.

En tout cas, une chose était sûre – j'étais dangereusement en train de tomber amoureuse de Nathaniel West.

Nous rentrâmes peu avant minuit. Le trajet du retour s'était effectué en silence. Tant mieux. Je n'étais pas d'humeur à faire la conversation. Avec personne, surtout pas avec Nathaniel.

Apollon se jeta sur nous dès que son maître ouvrit la porte. Je reculai de peur qu'il ne me salisse.

— Gardez votre robe sur vous et allez m'attendre dans ma chambre, ordonna sèchement Nathaniel. De la même façon que l'autre jour à mon bureau.

Je gravis lentement l'escalier. Avais-je commis un impair ? Je me repassai mentalement le film de la soirée en me posant mille questions sur les innombrables erreurs que j'avais pu commettre. J'avais omis de signaler qu'Elaina était passée me voir. J'avais insisté pour qu'on m'appelle Abby. J'avais accepté l'invitation à déjeuner de Linda. Et s'il s'était agi d'une épreuve lorsqu'il m'avait demandé le vin que je préférais ? Aurais-je dû répondre blanc ? Ou bien : Comme vous voulez, monsieur West ?

Je ruminai ces pensées moroses, l'une plus ridicule que l'autre. Au fond, il aurait dû me donner ses instructions pour la soirée. Cela m'aurait facilité les choses et m'aurait évité bien des tracas.

Il était encore entièrement vêtu lorsqu'il pénétra dans la chambre. Du moins, je le pensais car, ayant la tête baissée, je n'apercevais que ses chaussures et son pantalon.

Il s'avança derrière moi à pas lents. Ses mains redessinèrent le haut de ma robe. Il ôta les épingles retenant mes cheveux, faisant retomber mes boucles en cascade sur mes épaules.

— Vous avez été sensationnelle, ce soir. Ma famille va me rebattre les oreilles à votre sujet.

Cela signifiait-il qu'il n'était pas fâché? Que je n'avais rien fait de mal? Il était si près qu'il m'était impossible de réfléchir posément.

— Je suis content de vous, Abigaïl, reprit-il d'une voix douce, effleurant mon échine de ses lèvres sans jamais me toucher. À mon tour maintenant de vous faire plaisir.

Il descendit la fermeture de ma robe et repoussa les bretelles. Sa bouche suivit les contours de ma colonne vertébrale à mesure que la robe glissait sur mes hanches pour finir en un petit tas vaporeux par terre.

Il me souleva dans ses bras et me porta sur le lit.

— Allongez-vous.

Je m'exécutai docilement.

Je n'avais pas mis de collants. Il s'agenouilla entre mes cuisses et retira mes chaussures qu'il envoya valser par terre. Il me regarda dans les yeux puis se pencha pour déposer un baiser à l'intérieur de ma cheville. J'en eus le souffle coupé.

Il ne s'arrêta pas là. Il parsema ma peau de baisers en remontant le long de ma cuisse, tandis que sa main frôlait l'autre jambe.

Il trouva l'élastique de mon slip et y glissa un doigt.

J'étais consciente du but de la manœuvre.

— Non, dis-je en enfonçant les doigts dans ses cheveux.

Il fit glisser mon slip et je me retrouvai une fois encore nue et offerte devant lui.

— Vous n'avez pas d'ordre à me donner, Abigaïl.

Personne ne m'avait jamais fait cela. On ne m'avait jamais embrassé à cet endroit. Et j'étais sûre que c'était son intention. J'en avais tellement envie. J'étais en manque. Je fermai les yeux, brûlante d'impatience.

Je me cramponnai aux draps quand ses lèvres trouvèrent mon clitoris et toute pensée cohérente m'abandonna. Peu m'importait ce qu'il allait faire. C'était lui que je voulais. Je le désirais de toutes mes forces. De n'importe quelle façon.

Je sentis son souffle chaud sur ma chair quand il y pressa la bouche. Il ne se pressait pas, allant et venant très lentement pour me donner le temps de m'habituer, sans cesser ses caresses et ses baisers, doux comme des murmures.

Il me lécha et je me cambrai sur le lit. Ses doigts me parurent soudain insignifiants comparés à sa langue. Il me suçait lentement, délicatement. Je tentai de refermer les jambes pour prolonger la sensation, mais il glissa les mains entre mes genoux et les écarta fermement.

— Ne me forcez pas à vous attacher, m'avertit-il d'une voix vibrante, déclenchant des éclairs de désir dans tout mon corps.

Sa langue était partout où je voulais, ses dents me mordillaient légèrement. Les sensations m'envahissaient, s'amplifiaient, me conduisant inexorablement vers l'orgasme qui prenait naissance là où se trouvait sa bouche, se répandant le long de mes jambes puis remontant jusqu'à ma poitrine, mes seins, autour de mes mamelons.

Non, je ne rêvais pas. Ce n'était pas mes mains, mais les siennes. Il me donnait du plaisir avec sa bouche pendant que ses doigts caressaient mes seins, les cajolaient, les titillaient à loisir.

Sa langue descendit plus bas.

Je tordis les draps, les enroulai autour de mes poignets, m'y arc-boutai pour me hausser vers lui. Sa langue tourbillonnait autour de mon clitoris et je laissai échapper un petit cri lorsqu'une vague de plaisir déferla, là où il me caressait sans relâche, avant d'enfler comme une spirale incontrôlable.

— Il est temps de regagner votre chambre, me chuchota-t-il lorsque ma respiration redevint normale.

Il était toujours habillé de pied en cap.

Je me redressai.

— Et vous? Ne devrions-nous pas…

Je ne savais comment formuler la question. Il n'avait pas joui. Ce n'était pas juste.

— Non, ça va.

— Mais c'est à mon tour de vous servir maintenant.

— Non, faites ce que je vous dis et retournez dans votre chambre.

Je me glissai hors du lit, légère, surprise que mes jambes puissent encore me porter.

Assommée par toutes les émotions que j'avais éprouvées et la jouissance extrême que je venais d'éprouver, je ne mis pas longtemps à m'endormir.

Cette nuit-là, j'entendis la musique pour la première fois – des accords de piano résonnant quelque part. Une musique douce. Délicate et envoûtante. Je me mis en quête des sons qui peuplaient mon rêve en me demandant qui jouait et d'où provenait la mélodie. Mais je m'égarai, chaque couloir interminable ressemblait à un autre. La musique venait de la maison, je le savais, mais j'étais incapable de la trouver. Alors, dans mon rêve, je tombai à genoux et fondis en pleurs.

9

Cette nuit-là, je dormis d'un sommeil agité, me tournant et me retournant dans mon lit. À un moment donné, je m'éveillai en sursaut, en proie à une tristesse inexplicable. Cela avait trait à la musique dont je n'avais pas trouvé l'origine, je crois, et, dans l'état de confusion où je me trouvais, je me recroquevillai sur moi-même et me rendormis.

Je me réveillai pour de bon à cinq heures trente et compris pourquoi Nathaniel insistait pour que j'aie mes huit heures de sommeil pendant la semaine. Dormir le week-end semblait être un luxe. Je sortis du lit en maugréant.

J'étais douchée et habillée à six heures et quart, ce qui me laissait amplement le temps de préparer mon célèbre pain perdu. De la lumière filtrait sous la porte de la salle de sport. Nathaniel était apparemment déjà debout et s'entraînait. Je me demandai si j'arriverais à me lever un jour avant lui.

Bâillant à me décrocher la mâchoire, je découpai les bananes en dés et battis les œufs. J'adorais cuisiner. Composer un repas équilibré et savoureux. Si je n'avais pas tant aimé les livres, je crois bien que je serais devenue cuisinière.

J'étais en train de faire revenir le pain dans la poêle lorsque le chien fit irruption dans la cuisine.

— Coucou Apollon, lui lançai-je. Comment vas-tu, mon gros?

Il jappa, bâilla bruyamment et se coucha sur le flanc.

— Toi aussi? dis-je en bâillant de plus belle.

Je revis la soirée d'hier pendant que la sauce mijotait. Cela me semblait toujours aussi irréel. Mais très agréable.

Tout le monde avait été si gentil. Et Nathaniel… Je repensai surtout à lui, la piste de danse, et ensuite dans la chambre…

Je faillis brûler la poêle.

À sept heures, je lui servis son petit déjeuner, plaçai le pain perdu sur une assiette et le nappai de sauce.

— Préparez-vous une assiette et asseyez-vous, dit-il avec brusquerie.

Le gentleman de la veille avait disparu, mais je savais qu'il était dissimulé quelque part.

Je m'exécutai et j'avais à peine avalé une bouchée qu'il reprenait la parole.

— J'ai des projets pour vous aujourd'hui, Abigaïl. Pour vous préparer à me donner du plaisir.

Des projets pour me préparer à son plaisir? Et puis quoi encore? Je faisais du yoga, du jogging, je suivais un régime – ça ne suffisait pas?

Le hic était que nous nous trouvions à la salle à manger, pas à la table de la cuisine.

— Oui, maître, fis-je, les yeux fixés sur mon assiette.

Mon cœur cognait dans ma poitrine. Je n'avais plus faim. Je sauçai mon assiette avec un morceau de pain sans grand enthousiasme.

— Mangez, Abigaïl. Vous ne pourrez pas me satisfaire l'estomac vide.

Je n'étais pas trop sûre de pouvoir satisfaire qui que ce soit, si mes nerfs me lâchaient au risque de lui vomir dessus, mais je gardai cette pensée pour moi. Je mordis dans mon toast. Du carton aurait eu le même goût.

Après m'être suffisamment sustentée pour le contenter, je débarrassai la table et retournai à la salle à manger où je me mis presque au garde-à-vous.

— Vous êtes beaucoup trop vêtue à mon goût. Allez dans ma chambre et enlevez-moi tout ça.

Je me creusai la tête en montant à l'étage. Que pourrions-nous encore inventer de nouveau? Nous avions fait l'amour à trois reprises, il m'avait sucée une fois et moi au moins trois. J'étais prête à tout.

J'avais plus ou moins réussi à reprendre mon sang-froid quand je stoppai net en entrant dans la chambre.

Une espèce d'estrade trônait au milieu de la pièce – cela en avait tout l'air, en tout cas. On y montait par une marche.

Je sentis des picotements d'excitation me parcourir le corps. Je me débarrassai de mes vêtements que j'entassai au petit bonheur près de la porte. Après quoi, je restai là à observer le meuble en bois.

— Ce banc est destiné à la flagellation, expliqua Nathaniel qui m'avait suivie dans la chambre. Je l'utilise pour les châtiments, mais il peut servir à d'autres usages.

Dis « Térébenthine », me cria la moitié rationnelle de mon cerveau. Dis-le.

Non, contra la partie déraisonnable. J'en ai envie.

Nathaniel ne semblait pas se douter de mon conflit intérieur.

Ou alors, il s'en moquait.

— Montez et allongez-vous à plat ventre.

Cinq petites syllabes et tu rentres chez toi, me souffla mon côté rationnel.

Cinq petites syllabes et tu ne le reverras plus jamais. Il ne te fera pas mal.

Mon côté déraisonnable voulait rester. Mon côté déraisonnable désirait Nathaniel à la folie.

Il a dit qu'il ne te causerait pas un tort irréparable. Il n'a jamais dit qu'il ne te ferait pas mal.

Mon côté rationnel marquait un point.

— Abigaïl, soupira-t-il. Cela devient lassant. Soit vous faites ce que je vous dis, soit vous prononcez votre code secret. Je ne vous le répéterai pas deux fois.

J'évaluai les différentes options en cinq secondes. Le côté insensé l'emporta. Le rationnel me menaça de prendre de longues vacances.

Je respirai à fond et grimpai sur le banc. Le bois poli était creusé en son centre, épousant la forme de mon corps.

Bon, jusque-là, tout allait bien.

Nathaniel s'affairait dans mon dos. Je l'entendais ouvrir et fermer des tiroirs. Il plaça quelque chose à côté de moi.

— Vous souvenez-vous de ce que je vous ai dit vendredi soir?

Question rhétorique. Je n'étais pas censée répondre sauf s'il m'y invitait expressément. Il m'embrouillait.

Je repensai à vendredi soir. Beaucoup de sexe, très peu de sommeil, encore du sexe, mal partout, sexe, sauce aux palourdes, et encore du sexe… Le vide total, je n'avais aucune idée de ce à quoi il faisait allusion.

Il m'attrapa par la taille et se mit à me caresser les fesses. Soudain, je me rappelai qu'il m'avait parlé de sodomie.

Térébenthine! hurla mon côté rationnel. Térébenthine!

Je serrai les dents pour éviter de prononcer ce mot et le garder au fond de mon cerveau. Je serrai aussi d'autres parties de mon anatomie. En fait, je serrai mon corps tout entier.

Il me caressa le dos.

— Détendez-vous!

En d'autres circonstances, j'aurais trouvé cela divin. J'aurais ronronné de plaisir de sentir ses mains sur moi. Mais pas au moment où il s'apprêtait à me sodomiser.

J'aurais peut-être dû exclure cette pratique en remplissant le questionnaire, au lieu de remettre la question à plus tard.

J'entendis des froissements. Il se déshabillait. Je pris une profonde inspiration et me raidis, tétanisée.

Nathaniel poussa un soupir.

— Allongez-vous sur le lit, Abigaïl.

Je sautai du banc si vite que je faillis trébucher. Il m'emboîta le pas – nu, superbe – mais je le remarquai à peine.

Il me prit dans ses bras.

— Calmez-vous. Sinon, ça ne marchera pas.

Je sentis sa bouche sur ma nuque et me pendis à son cou. Oui, cela, je le savais. J'allais y arriver.

Sa bouche magnifique faisait des choses sur ma peau. Je commençai à me décrisper, tandis que ses lèvres se promenaient le long de mon corps. Il effleura le bout de mes seins et je renversai la tête pendant que sa langue s'activait autour de mes tétons devenus si sensibles.

Il traça des baisers fougueux le long de mon buste, sans que ses mains cessent de me caresser. J'avais le corps en feu.

Il me mordilla l'oreille.

— Je le fais pour votre plaisir comme pour le mien. Ayez confiance, Abigaïl.

J'aurais bien voulu. Je faisais confiance au gentleman d'hier soir. Quant au dominant et à son banc de flagellation? Là, j'avais plus de mal à l'avaler.

C'est le même homme, me dis-je pour me rassurer.

J'étais plongée dans la confusion la plus totale. Je ne savais plus quoi penser. Je me posais mille questions. Que m'arrivait-il? Où était la bonne solution? Qui était vraiment cet homme?

Pendant ce temps, il me chuchotait des paroles réconfortantes à l'oreille.

— Je peux vous donner du plaisir, Abigaïl. À un point que vous n'imaginez pas.

Il brisait mes résistances. Balayait mes doutes. Alors je le laissai faire, je n'avais pas vraiment le choix. Il s'était déjà approprié ma personne.

Il s'écarta et me regarda dans les yeux pendant qu'il me pénétrait. Je gémis et me serrai plus étroitement contre lui.

Je constatai alors que, pour la première fois depuis que nous faisions l'amour, j'avais les bras libres. Je passai une main hésitante dans son dos.

Il s'enfonça plus profondément en moi.

— Allez-y, Abigaïl. La peur n'a pas sa place dans mon lit.

Il se retira avant de replonger plus loin et se mit à me marteler sur un tempo de plus en plus rapide, sans cesser de me bercer de sa voix douce, apaisante.

Au bout d'un moment, mes peurs avaient disparu. Je ne me souvenais plus de rien. À l'exception de Nathaniel, son lit, ses coups de butoir, ses paroles lourdes de promesses.

Je sentis les muscles de mon ventre se tordre, j'étais au bord de l'extase. Il se retira, me souleva les hanches et se poussa encore plus profondément. J'étais près, tout près. J'encerclai sa taille de mes jambes pour le plaquer contre moi. Et alors qu'il s'enfonçait pour la dernière fois, quelque chose de chaud et de lisse s'immisça dans mon anus et je hurlai de bonheur lorsque l'orgasme me submergea.

C'était un plug, un anneau, qui permettrait une dilatation progressive à condition de le porter quelques heures par jour, expliqua-t-il. Je n'avais aucune expérience des rapports anaux. Je ne savais pas trop à quoi m'attendre, et j'étais impatiente de connaître des sensations inédites et intenses. Il avait promis de me donner du plaisir et, jusqu'à preuve du contraire, je décidai de le croire. Il ne m'avait encore jamais menti.

Je partis après le déjeuner, non sans qu'il m'eût demandé de revenir le vendredi suivant à dix-huit heures.

— Je t'ai attendue toute la journée, j'ai une surprise pour toi, gloussa Félicia lorsque j'arrivais.

Les surprises de Félicia consistaient généralement en un nouveau rouge à lèvres. Je m'installai sur mon canapé, les jambes repliées, et lui demandai de cracher le morceau.

— D'abord, je dois te remercier d'avoir donné mon numéro à Nathaniel afin qu'il le passe à Jackson. Il est super. Je pensais qu'un footballeur professionnel serait terriblement imbu de sa personne, mais pas du tout. Il a les pieds sur terre. Et sa mère? C'est incroyable comme elle est gentille. Et la façon dont les trois hommes se sont levés lorsque tu es allée aux toilettes. Et Elaina qui t'a accompagnée. Et…

Je l'interrompis.

— Félicia, c'est quoi ta fameuse surprise? Parce que la soirée d'hier, je peux me la rejouer toute seule. C'est exactement ce que j'avais l'intention de faire d'ailleurs, dès que je serai enfin seule.

— D'accord, désolée.

— Je t'en prie. Alors, raconte.

Elle s'inclina vers moi.

— Sur le chemin du retour, j'ai posé des questions à Jackson sur son enfance. Depuis combien de temps il connaît Todd. Depuis quand il est marié avec Elaina. Si Nathaniel était sorti avec beaucoup de filles –

— Félicia !

— Je suis ta meilleure amie, Abby, ne l'oublie pas. C'est mon boulot de m'occuper de toi. La famille de Todd et les Clark étaient voisins. Ils se connaissent depuis une éternité. Nathaniel a eu une relation sérieuse avec trois femmes, ajouta-t-elle avec un petit rictus diabolique. Il y a eu d'abord Paige, puis Beth et enfin Mélanie. Jackson l'appelait la « fille aux perles » parce qu'elle ne se séparait jamais de son collier. Je ne veux même pas penser au surnom qu'il te donnera, ajouta-t-elle en fixant mon tour du cou. Nathaniel ne pourrait pas t'offrir une bague comme tout le monde ?

Elle parlait toujours, mais je ne l'écoutais plus, m'efforçant de digérer ces précieuses informations. Trois femmes. Trois soumises. Connues de la famille.

Félicia était intarissable.

— Nathaniel et Mélanie ont rompu il y a cinq mois. D'après Jackson, c'était une vraie chipie et il n'était pas mécontent de la voir disparaître de l'horizon.

Nouveau sourire mauvais.

— Il a ajouté que tu n'étais pas le genre de fille que son cousin fréquentait d'habitude, mais qu'il trouvait que vous étiez faits l'un pour l'autre.

C'était là la deuxième personne proche de Nathaniel qui disait la même chose. Se pouvait-il qu'ils aient tort tous les deux?

Je ressentis un regain d'énergie et oubliai la fatigue qui m'accablait quelques minutes plus tôt.

— Le nouveau film qu'on voulait voir passe ce soir, enchaîna-t-elle. Ça te dit ?

— Il dure jusqu'à quand?

— Vingt-trois heures.

Je devais me lever à six heures. Cela faisait sept heures de sommeil – plus que je n'en avais eu ces deux dernières nuits.

— Si tu veux, dis-je.

10

J'étais dévorée d'appréhension en partant chez Nathaniel, le vendredi soir. Sa secrétaire m'avait appelée à la bibliothèque le mercredi précédent.

— Monsieur West vous recevra vendredi soir à vingt heures, avait-elle déclaré. Sa voiture viendra vous chercher.

C'était tout, pas d'autre précision, ni d'explication. Rien.

J'étais un peu déçue – j'aimais assez nos dîners du vendredi soir. Partager un repas avec lui avant de gagner sa chambre était une transition en douceur vers le week-end. Peut-être était-ce le fruit de mon imagination, mais il me semblait qu'il les appréciait tout autant. Même si ce n'était que pour me taquiner. Me préparer à ce qu'il avait prévu pour le week-end. Bien sûr, je me doutais de ce qu'il avait en tête. J'avais utilisé le plug comme il m'en avait prié, et je me sentais prête.

Cependant, j'avais la curieuse impression que quelque chose m'échappait. Il faisait nuit lorsque la voiture s'engagea dans l'allée. Apollon ne vint pas à ma rencontre et Nathaniel n'ouvrit pas la porte avant même que je me manifeste, comme il en avait l'habitude.

J'actionnai la sonnette.

La porte s'entrebâilla et Nathaniel me fit signe d'entrer.

— Abigaïl.

Je le saluai d'un signe de tête. Pourquoi nous attardions-nous dans l'entrée? Et pour quelle raison me dévisageait-il ainsi?

— Avez-vous passé une bonne semaine? Vous avez la permission de parler.

— Oui, excellente.

— Excellente? répéta-t-il en fronçant les sourcils. Je ne crois pas que ce soit la réponse appropriée.

Je repensai à la semaine écoulée en essayant de comprendre ce qu'il voulait dire.

Rien d'exceptionnel ne me vint à l'esprit. Le travail avait été comme à l'accoutumée. Félicia n'avait pas dérogé à ses habitudes, j'avais fait mon jogging, ce yoga ridicule, j'avais eu huit…

Oh non.

Oh non. Non. Nooooon….

— Abigaïl, avez-vous quelque chose à me dire?

— Je n'ai eu que sept heures de sommeil dimanche soir, murmurai-je, les yeux baissés.

Bon sang, comment pouvait-il le savoir?

— Regardez-moi quand vous me parlez.

Je levai le nez. Ses yeux lançaient des éclairs.

— Je n'ai eu que sept heures de sommeil dimanche soir, répétai-je.

Il avança d'un pas.

— Sept heures? Pensez-vous que je m'évertue à établir un programme pour votre bien-être par ennui, parce que je n'ai rien d'autre à faire? Répondez-moi.

La chaleur me monta aux joues. J'étais sûre que j'allais m'évanouir d'un moment à l'autre. C'était sans doute ce que j'avais de mieux à faire.

— Non, maître.

— J'avais des projets pour vous ce soir, Abigaïl. Des choses que je voulais vous montrer. Au lieu de quoi, nous allons passer la soirée dans ma chambre à vous punir.

Il me considéra comme s'il attendait que je dise quelque chose. Je n'étais pas sûre d'en avoir le droit.

— Je suis désolée de vous avoir déçu, maître.

— Vous le serez encore plus lorsque j'en aurai fini avec vous. Direction ma chambre, et en vitesse, ordonna-t-il en indiquant l'escalier d'un geste.

Je m'étais toujours demandé ce que pouvaient ressentir les condamnés avant leur exécution. Comment parvenaient-ils à mettre un pied devant l'autre? Observaient-ils les rues ou les cellules où ils avaient séjourné en se rappelant les jours meilleurs? Sentaient-ils les regards scrutateurs fixés sur eux à leur passage?

Je ne veux pas dire que j'étais dans ce cas. Évidemment non.

On ne meurt qu'une fois. On ne ressent plus rien après.

Moi, en revanche, j'allais boire le calice jusqu'à la lie

Je montai les marches conduisant à la chambre de Nathaniel, bien décidée à subir mon châtiment sans me plaindre. Il avait fixé les règles et je les avais acceptées. J'en avais enfreint une. Cela n'était pas sans conséquence. J'allais devoir en payer le prix.

Je ne fus guère surprise de trouver le banc de flagellation au milieu de la pièce. J'inspirai à fond et me dévêtis. Puis je grimpai sur le banc en frissonnant et m'arc-boutai par-dessus.

Mais où mettre mes mains? Croisées sur ma poitrine? Non, ce n'était pas ça. Les bras ballants? La position était inconfortable. Au-dessus de la tête? Non, c'était idiot.

En entendant Nathaniel pénétrer dans la chambre, j'oubliai aussitôt ce problème épineux.

J'avais envie de voir son visage et, en même temps, j'étais soulagée que ce soit impossible. J'avais conscience d'être nue, exposée à ses regards.

Une main chaude m'effleura les fesses. Je sursautai. Ses doigts balayèrent la raie de mon cul et atterrirent entre mes jambes.

— Il y a trois fessées différentes. La première est érotique. Elle sert à accroître le plaisir, à exciter. J'utilise la cravache par exemple.

Ses caresses devinrent de plus en plus brutales et il me pinça fort.

— La deuxième forme de fessée sert de châtiment. Vous ne ressentirez aucun plaisir. Son objectif est de vous rappeler les conséquences de votre faute. J'ai établi un règlement pour votre bien, Abigaïl. Combien d'heures de sommeil devez-vous avoir du dimanche au jeudi?

— Huit, répondis-je d'une voix blanche.

Il ne pouvait pas tourner la page pour qu'on en finisse une bonne fois pour toutes?

— Exact, huit, pas sept. Apparemment vous l'avez oublié et un postérieur douloureux vous rafraîchira la mémoire à l'avenir.

Il observa un silence. Le seul bruit que j'entendais était le rugissement de mon sang dans mon crâne.

— La troisième forme de fessée est un simple échauffement avant la punition. Savez-vous pour quelle raison j'y ai recours?

Je n'avais jamais entendu parler d'une fessée d'échauffement. Mais je n'allais pas lui faire le plaisir de lui répondre.

Il plaça un fouet de cuir près de ma tête. Là où je pouvais le voir.

— Parce que vos jolies fesses ne supporteraient pas la fessée châtiment, la première fois.

Je tentai désespérément de trouver à quoi me raccrocher sur le banc.

— Vingt coups de fouet, Abigaïl. À moins que vous n'ayez quelque chose à me dire, ajouta-t-il après une pause.

Il me provoquait pour que je prononce le mot secret. Quel toupet de penser que je le cracherais aussi facilement. Je m'efforçai de rester de marbre.

— Très bien.

Il commença de la main, une tape légère sans conséquence. J'en éprouvais presque du plaisir, en fait. Ce n'était pas pire que la cravache. Mais il s'acharna. Encore et encore. Cela commençait à devenir intolérable, mon corps se raidissait dans l'effort de rester immobile.

Au bout d'un moment, cinq minutes peut-être, je me crispais pour anticiper les coups, la peur au ventre.

Bon sang, ça faisait un mal de chien. Et dire qu'il n'avait même pas vraiment commencé.

Les larmes me montèrent aux yeux. Combien de temps ce supplice allait-il durer?

Sa main s'abattait sur mon cul encore et encore. Sans arrêt. Et ce n'était que l'échauffement…

Il cessa et passa une main sur mes fesses comme pour me palper du bout des doigts. Puis il s'empara de la lanière de cuir posée près de ma tête.

— Comptez, Abigaïl.

Le fouet claqua dans l'air avant d'atterrir sur ma croupe meurtrie.

— Aïe!

— Pardon?

— Un, je veux dire un.

Un nouveau coup.

— Merde! Euh… deux.

— Surveillez votre langage. Et parlez plus fort.

— Tr….trois.

Le quatrième me fit si mal que je tendis les bras pour me protéger. Il s'interrompit pour me souffler à l'oreille.

— Si vous recommencez, je vous attache et je rajoute dix coups pour la peine.

Je croisai les bras sur ma poitrine.

À onze, j'éclatai en sanglotais. À quinze, j'avais le souffle coupé. À dix-huit, je décidai que j'aurais désormais dix heures de sommeil. Chaque nuit. N'importe quoi, pourvu qu'il s'arrête.

— Arrêtez de me supplier.

Apparemment, j'avais parlé tout haut. Je me fichais de le supplier. Je lâchai un hoquet qui devait ressembler à dix-neuf.

Encore un et ce serait terminé.

— Combien d'heures de sommeil devez-vous avoir, Abigaïl? Répondez.

J'inspirai profondément. J'avalai ma morve et faillis m'étrangler.

— Hu…hu…huit.

Encore un dernier et ce serait fini.

— V…vingt.

Le silence qui régnait dans la pièce n'était troublé que par mes sanglots qui ressemblaient à des râles. Des tremblements incoercibles me secouèrent de la tête aux pieds. Comment allais-je descendre de mon perchoir?

— Allez vous débarbouiller, puis filez dans votre chambre, dit-il d'une voix égale. Vous avez du sommeil à rattraper.

11

Le visage que me renvoya le miroir était rouge et bouffi.

Bon, Abby dis-je à mon reflet, il n'y aura plus de soirée entre copines avec Félicia, compris? Ou alors, couvre-feu
avant vingt-deux heures, et ensuite directement au lit.

Je clopinai vers ma chambre et m'allongeai à plat ventre.
Pourvu qu'il ne prenne pas à Nathaniel l'envie de tenter de…
nouvelles expériences… ce week-end. Plug ou pas, j'avais le
corps trop endolori pour l'envisager.

Dans le cas contraire, est-ce que je me déciderais à prononcer le mot magique? La fessée, je pouvais à la rigueur supporter. J'avais commis une faute. Il m'avait fait comprendre
très clairement que les règles n'étaient pas faites pour les
chiens. Mais de là à expérimenter le sexe anal…

Je m'en sentais incapable. Ni cette nuit, ni les autres.
J'allais devoir utiliser mon mot secret.

Là, c'était trop. Il fallait savoir fixer les limites. Définir jusqu'où on était capable d'aller. En tout cas, les miennes étaient claires. Pas de sodomie ce week-end, ni aucun autre.

Il était peut-être temps d'arrêter cette relation tordue.

L'idée m'attrista. Était-ce la crainte de décevoir Nathaniel, le souvenir de la fessée, la perspective de ne jamais le revoir, ces trois raisons à la fois ? J'éclatai en sanglots, le visage enfoui dans l'oreiller de peur qu'il m'entende. Que se passerait-il s'il entrait dans ma chambre ? Je n'osais même pas y penser.

Entre deux hoquets, je perçus des pas dans le couloir. Vite, je ravalai mes larmes et retins mon souffle. Les pas s'arrêtèrent. Je distinguai le bout de ses chaussures sous la porte. M'aurait-il entendue ?

Il passa son chemin.

Je réprimai un soupir et essayai de dormir.

Cette nuit-là, je refis le même rêve à propos de la musique. Cette fois, le tempo était plus rapide. Elle exprimait la colère, une violence presque sauvage. Petit à petit, elle se transforma en la mélodie légère et nostalgique que j'avais entendue le week-end précédent. Une douceur teintée de tristesse. Dans mon rêve, je courais désespérément de pièce en pièce, déterminée à découvrir d'où provenaient ces accords. Je poussai une porte après l'autre. Mais comme la première fois, chacune s'ouvrait sur un nouveau couloir au bout duquel se trouvait une nouvelle porte.

La musique s'interrompit. Je me retrouvai devant un battant que je poussai. Pour découvrir que cela ne menait nulle part...

Samedi matin. Nouveau réveil matinal. En me préparant, je m'interrogeai sur mon face-à-face avec Nathaniel. Qu'allait-il dire ? Ou faire ? Quels seraient ses projets pour le week-end ?

Allais-je prononcer ma formule secrète et partir pour ne jamais revenir?

Je me dirigeai vers la cuisine à petits pas. J'avais mal partout. Aucun son ne filtrait sous la porte de la salle de sport. La cuisine était vide. Mes yeux balayèrent la pièce. J'avisai une feuille de papier pliée en quatre au milieu de la table.

Mon nom soigneusement calligraphié y figurait.

Je m'en emparai.

Je serai de retour à midi et déjeunerai dans la salle à manger.

J'inspirai profondément. Il ne me disait pas de prendre mes cliques et mes claques et de ficher le camp comme je l'avais craint.

Je me préparai un petit déjeuner rapide composé de flocons d'avoine, de quelques noix et de rondelles de banane. Je mangeai debout, les yeux fixés sur les placards qui garnissaient deux des cloisons de la cuisine. Je décidai de les explorer une fois mon repas terminé. Cela m'occuperait — je n'avais pas envie de courir et une séance de yoga m'inspirait encore moins.

J'avalai un Doliprane, puis inspectai le contenu des placards pendant une heure. Nathaniel possédait une merveilleuse panoplie d'ustensiles, de gadgets divers et variés et de vaisselle. Il disposait aussi d'un garde-manger impressionnant. N'importe quel chef se serait extasié devant l'assortiment d'aliments qui garnissaient les quatre vastes étagères. Impossible d'atteindre la plus haute. Je remis cela à plus tard.

Je décidai de faire du pain. Pétrir la pâte me permettrait peut-être d'éclaircir mes idées. De plus, avantage non négligeable pour mes membres endoloris, je pourrais travailler debout.

Tout en préparant la pâte, j'analysai mes sentiments pour Nathaniel. J'avais été idiote de penser – d'espérer – la semaine passée qu'il en pinçait pour moi. J'étais sa soumise. Pour l'instant, cela suffisait. Inutile de tracer des plans sur la comète. Je devais profiter du moment présent. Peut-être d'ailleurs qu'en le revoyant, je découvrirais que mon enthousiasme s'était refroidi.

Je trouvai un poulet dans le réfrigérateur et le découpai. Une salade de volaille serait parfaite avec le pain frais. Je la servirais avec du raisin et des carottes.

La matinée passa très vite. J'entendis Nathaniel rentrer. Apollon fit irruption dans la cuisine. En me voyant, il se mit à japper et me sauta dessus pour me gratifier d'un gros baiser baveux.

À midi, j'apportai une assiette dans la salle à manger où, assis à table, Nathaniel m'attendait déjà. Mon cœur cognait dans ma poitrine. J'espérais qu'il ne verrait pas mes mains trembler pendant que je le servais.

— Mangez avec moi, se borna-t-il à dire.

Je n'avais aucune envie de m'asseoir et encore moins de lui désobéir. Je repartis à la cuisine préparer un plateau que j'emportai dans la salle à manger et déposai sur la table. Je tirai ensuite une chaise en face de lui.

Elle était rembourrée d'un coussin.

J'hésitai un court instant. Il avait un drôle de sens de l'humour. Pour ma part, je ne trouvais pas ça amusant. Je l'observais à la dérobée. Il mastiquait avec application, le regard dans le vide.

Non, il ne plaisantait pas. Les chaises de la salle à manger étaient dures. Il faisait preuve de prévenance, voilà tout.

Je m'assis avec précaution. La douleur était supportable.

Le repas se déroula en silence. Une fois de plus.

D'habitude, le silence ne me dérangeait pas. Au contraire, il me permettait de réfléchir. Seulement, j'avais été seule toute la matinée et j'en avais assez de penser. J'avais envie d'un peu d'agitation, pour changer.

— Regardez-moi, Abigaïl.

Je sursautai. Nathaniel me fixait de son regard vert intense. J'avais du mal à respirer.

— Vous punir n'a pas été une partie de plaisir, croyez-le ou non. Mais il y a des règles et si vous les enfreignez, je vous châtierai. C'est aussi simple que cela.

Je n'en doutais pas.

— Pareil pour les compliments, poursuivit-il. Je ne les prodigue pas à tort et à travers. Mais vous vous êtes bien comportée hier soir. Bien mieux que je ne l'escomptais.

Quelque chose en moi que je pensais mort revint doucement à la vie. Un tout petit quelque chose. Pas même une étincelle. Juste une faible lueur vacillante. L'entendre dire que je m'étais bien comportée… était le plus beau compliment que je pouvais espérer de sa part.

Il se leva de table.

— Finissez de manger. Je vous attends dans l'entrée en peignoir. Je vous donne une demi-heure.

Je rangeai en vitesse la cuisine et gagnai ma chambre où j'aurais aimé m'allonger un peu, fût-ce quelques minutes. J'étais lasse, le corps toujours endolori malgré les cachets. Au lieu de quoi, j'enfilai mon peignoir et allai retrouver Nathaniel dans le vestibule. Il était également en peignoir – si je m'étais attendue à ça !

Il tourna les talons et franchit une porte que je n'avais jamais utilisée.

— Suivez-moi, ordonna-t-il.

Nous traversâmes un salon très masculin qui comportait un immense écran de télévision au-dessus d'une imposante cheminée. Des canapés en cuir et une vaste fenêtre s'ouvrait sur une large terrasse.

Il ouvrit les baies vitrées qui y conduisait et s'effaça pour me laisser passer.

Dehors? Avec ce temps? En *peignoir*?

Mais là encore, il était impensable de désobéir. Je sortis et patientai.

Il me guida vers un jacuzzi bouillonnant, encastré dans le sol et environné de vapeur. J'aperçus des draps de bain blancs et moelleux étalés sur un banc. Un avant-goût du paradis.

Il défit mon peignoir et le laissa tomber à terre.

— Retournez-vous.

J'obtempérai, un peu gênée de lui montrer mon postérieur, allez savoir pourquoi. Il l'avait eu largement le temps de se rincer l'œil la veille.

Il m'effleura légèrement du bout des doigts.

— Vous n'aurez pas de bleus.

Il ne s'agissait pas d'une question, je ne réagis pas. Mais j'étais heureuse. Surprise aussi. J'étais certaine d'être couverte de contusions.

Lorsqu'il me prit la main, je remarquai qu'il avait retiré son peignoir à son tour. Il me conduisit au bord du jacuzzi et y entra sans me lâcher.

— Ça va piquer un peu, mais pas trop, vous verrez.

Je retins ma respiration en entrant dans l'eau chaude. C'était très agréable après le froid mordant de l'air hivernal. Je ressentis effectivement des picotements qui disparurent dès que je m'habituai à la température ambiante.

Il me prit dans ses bras pour m'installer à califourchon sur ses cuisses.

— Pas de souffrance aujourd'hui, rien que du plaisir.

La vapeur était plus dense, maintenant que j'étais assise sur ses genoux. Je le distinguai à peine, noyé dans la brume. Comme dans un rêve.

Il me mordilla la nuque pendant que ses mains erraient le long de mes bras.

— Caressez-moi, me souffla-t-il à l'oreille.

Je laissai courir mes doigts sur son torse. Je ne l'avais encore jamais touché ainsi. C'était nouveau. Il était dur comme le roc, parfait, comme le reste de sa personne. Mes mains glissèrent plus bas jusqu'à son abdomen. Sa respiration s'accéléra lorsque je m'aventurai encore plus bas. J'effleurai ensuite son sexe en érection que j'attrapai d'une main.

— Avec les deux, chuchota-t-il.

Je l'empoignai donc à deux mains et, sachant qu'il allait adorer, je serrai avec force.

Il entoura ma taille de ses bras musclés et me fit faire délicatement volte-face pour que je le chevauche, en évitant de me toucher là où il m'avait maltraitée la veille.

C'était l'union des contraires. L'air glacé et la chaleur de l'eau. Le plaisir qu'il me procurait et les vestiges de la souffrance qu'il m'avait infligée le soir précédent. Mais surtout sa personne – cet homme capable d'être à la fois dur comme la pierre et délicat comme une plume.

Je respirai la vapeur chaude et enveloppante pendant qu'il me prodiguait ses caresses de ses mains magiques. Je croyais que mes sentiments pour lui s'étaient un peu refroidis après la nuit dernière. Mais une fois dans ses bras, blottie tout contre son corps capable d'accomplir des miracles, la petite lueur vacillante se transforma de nouveau en étincelle et je compris que j'étais dangereusement près de m'embraser tout entière à son contact.

12

Je glissai un œil par-dessus mon épaule pour vérifier que personne ne m'épiait.

Personne. Je reportai mon attention sur l'écran en face de moi.

Vas-y, m'encouragea la vilaine Abby.

Ce n'est pas bien, contra mon moi vertueux.

Qui le saura?

La vilaine Abby était vraiment perverse.

Toi, tu le sauras.

La vertueuse Abby campait sur ses positions.

Mes doigts frôlaient le clavier. Prêts à agir. Nathaniel West. Il suffisait de quelques secondes pour taper son nom.

Nathaniel. Il n'occupait pas seulement mes week-ends, mais aussi chaque jour de la semaine. Je pensais sans cesse à lui. Pourtant, après l'horrible épisode de la fessée, j'aurais dû ne plus vouloir avoir affaire à lui, retirer le collier et le lui renvoyer par la poste.

Au lieu de quoi je comptais les heures qui me séparaient du vendredi suivant. *À dix-huit heures, vendredi soir.* Pas de coup de fil intempestif, cette semaine. Ce n'était pas nécessaire.

Je consultai ma montre. *Encore trente heures et demie.* Quelle idiote. Aucune de ses soumises précédentes n'avait compté les heures, j'en étais sûre. Quand même, il s'agissait de Nathaniel West. À la réflexion, je pariais que toutes l'avaient fait, sans exception.

Revenons à nos moutons. Je pris une profonde inspiration et fermai les yeux.

Pfft, bien sûr, ricana la vertueuse Abby. *Ça ne compte pas si tu ne regardes pas.*

L'ordinateur ronronnait en recherchant les informations que j'avais demandées. Mon cœur cognait dans ma poitrine. Je jetai un nouveau coup d'œil par-dessus mon épaule. Puis, retour à l'écran.

Et voilà. Bingo.

Nathaniel West était un membre de la bibliothèque. Du moins en théorie. Il n'avait jamais utilisé sa carte. Intéressant. Quand lui avait-elle été attribuée? Je comptais à rebours. Depuis six ans et demi. Mmm… Je travaillais déjà à la bibliothèque à cette époque-là.

Je me demandai qui avait établi cette carte. Tellement de personnes s'étaient succédé en six ans et demi. Il pouvait s'agir de n'importe qui. Une chose était sûre, ce n'était pas moi. Si je cliquai sur le lien suivant…

— Abby?

Je sautai au plafond.

— Oh!

Elaina Welling me lança un regard curieux lorsque je retombai sur terre. À son petit sourire ironique, je me demandai si elle avait eu le temps de voir l'écran.

— Elaina! m'écriai-je en posant une main sur mon cœur. Tu m'as fait une de ces peurs. Tu es prête pour le grand match?

Jackson et l'équipe des Giants allaient jouer les qualifications, le week-end prochain à Philadelphie. Il avait donné des billets à Félicia. Elle avait flotté sur un petit nuage toute la semaine. Difficile à avaler pour moi qui n'avais reçu qu'une fessée de la part de Nathaniel.

Arrête, tout de suite. Carpe diem, tu te rappelles?

J'étais sûre que Nathaniel assisterait au match, donc je ne pourrais le voir que le lendemain soir. Une seule nuit…

— Oui, on se prépare, mais j'espérais pouvoir t'inviter à déjeuner, répondit Elaina, interrompant mes rêveries concernant la soirée du lendemain.

Je consultai ma montre.

— Oh! Je ne déjeune pas avant midi.

— Aucune importance, j'ai deux ou trois choses à faire avant. On dit chez *Delphina* à midi dix, d'accord?

J'acquiesçai et, une demi-heure plus tard, j'entrai dans le bistrot qu'elle m'avait indiqué.

Elle m'attendait à une table d'angle, à l'autre bout de la salle. Nous commandâmes un thé glacé en attendant. Elaina se pencha à travers la table quand la serveuse se fut éloignée.

— Je vais te dire un secret, murmura-t-elle. Je sais qui tu es. De même que pour Nathaniel.

Ma mâchoire faillit se décrocher de surprise. Elaina savait. Dans ce cas, cela signifiait que Todd aussi, et alors…

— Tu n'en reviens pas, on dirait. J'aurais dû m'y prendre autrement. C'est j… juste que — elle en bégayait presque

— je pensais qu'il valait mieux cracher le morceau. De toute façon, ça m'est égal. Tu es une fille super. Et puis j'aime beaucoup Nathaniel. Je l'aimerais quoi qu'il fasse.

Je levai la main.

— Attends une seconde. Il est au courant? Se doute-t-il que tu sais et aussi que tu m'as invitée à déjeuner?

Ce n'était pas elle qui aurait les fesses douloureuses, n'est-ce pas?

Elle hocha la tête.

— Il sait que nous déjeunons ensemble. Pour le reste, non, il ignore que je sais.

Je soupirai. Je ne voulais pas avoir de secret pour Nathaniel. Pourquoi tout était toujours si compliqué?

— Todd est au courant?

Elle avala une gorgée de thé.

— Oui, mais pas Linda. Quant à Jackson, je ne suis pas sûre. Todd et moi n'en aurions rien su si Mélanie n'avait pas débarqué chez nous il y a quatre mois en pleurant toutes les larmes de son corps.

La fille aux perles était venue pleurnicher chez Elaina et Todd? Voilà qui devenait passionnant.

— Mélanie, sa dernière soumise?

Elle se pencha vers moi.

— Mélanie n'a jamais été sa soumise.

L'arrivée de la serveuse fit diversion. J'étais si troublée que je dus m'y reprendre à trois fois avant de réussir à passer ma commande. Si Mélanie n'avait pas été sa soumise, elle avait été quoi alors?

— Je ne pense pas qu'on pouvait la qualifier de soumise, poursuivit Elaina après le départ de la jeune femme. Je ne connais pas les termes pour ce genre de truc. Il ne lui a jamais donné de collier. Il l'a horriblement maltraitée, c'est sûr.

Je n'y comprenais plus rien.

— Mais Jackson l'appelait *la fille aux perles* parce qu'elle portait toujours des perles.

Elaina secoua la tête.

— Ça, c'était Mélanie tout crachée. Elle faisait peut-être semblant de porter ce collier. Je n'en sais rien. Elle est venue nous voir juste après que Nathaniel l'a larguée. Elle connaissait Todd depuis leur plus tendre enfance.

Je pris une grande gorgée de thé. Cela faisait beaucoup d'informations à digérer.

— Mélanie a grandi avec eux. Elle avait toujours eu le béguin pour Nathaniel. Il a fait de son mieux pour la tenir à distance, mais elle était tenace. Elle a fini par obtenir ce qu'elle voulait pendant six mois environ.

Je me carrai sur mon siège en me demandant si c'était bon ou mauvais signe qu'il ne lui ait jamais donné de collier. Au fond, en quoi cela me concernait-il?

— Nathaniel l'embrassait?

— S'il l'embrassait? Oui, bien sûr.

Alors pourquoi ne voulait-il pas m'embrasser, moi?

— J'ai repensé à ses ex-petites amies, reprit Elaina sans paraître remarquer ma mine déconfite. Je me souviens de Paige et de Beth. Elles portaient toutes les deux un collier, mais très simple. Rien à voir avec le tien. Je suis persuadée qu'il y en a eu d'autres qu'il ne nous a jamais présentées.

— Pourquoi me dis-tu tout cela?

— Parce que tu as le droit de savoir tout ce que tu lui as apporté, vu qu'il ne te le dira jamais.

Ma confusion empira encore.

— Il t'a donné ce magnifique collier, presque tout de suite après votre rencontre, expliqua Elaina. Il parle de toi. Je ne lui ai pas vu cette démarche légère depuis des lustres… Et bon, je ne sais pas, il est différent. Il paraît que tu as une recette de pain perdu du tonnerre.

Il avait parlé de moi? De ma cuisine?

La serveuse revint avec les salades.

— Écoute, Abby, reprit Elaina. Tu dois le ménager. Ses parents sont morts dans un accident de la route quand il avait dix ans.

Je hochai la tête. Je le savais.

— Il se trouvait avec eux. La voiture était tellement abîmée qu'ils ont mis des heures à les sortir de là. Je ne crois pas qu'ils sont morts sur le coup. Je ne sais pas. Il refuse d'en parler. Mais il a changé après l'accident. C'était un enfant très gai avant. Il s'est renfermé sur lui-même, il était toujours triste. Et maintenant, on dirait que tu l'as transformé. Comme s'il était redevenu comme avant.

Après cette révélation fracassante, la conversation porta sur d'autres sujets – le travail d'Elaina, les leçons particulières que je donnais, Félicia et Jackson. Le temps passa très vite et vint le moment de retourner à la bibliothèque.

Je montai dans un taxi en repensant à ce que m'avait confié Elaina — que j'avais transformé Nathaniel, qu'il était redevenu lui-même.

Malgré la meilleure volonté du monde, je ne parvenais pas à le croire.

D'accord, il m'avait très vite offert un collier. Cela ne signifiait rien. Il m'avait également invitée au gala de charité de sa tante, mais c'était sans importance. Il était tel qu'en lui-même et notre relation était ce qu'elle était. Rien n'avait changé.

Je me retournai. Debout sur le trottoir, Elaina regardait dans ma direction en parlant au téléphone. Son expression s'était altérée. Elle hurlait.

Pourquoi hurlait-elle?

Il y eut une collision, un amas de tôle froissée. Des coups de klaxon. Tout se mit à tournoyer autour de moi. Ma tête heurta quelque chose de dur.

Et puis plus rien.

13

J'avais mal.

Je ne pensais qu'à cela.

La douleur.

Ensuite, il y eut de la lumière. Et du bruit. J'aurais voulu dire à tout le monde de se taire et d'éteindre, parce que le vacarme et la clarté me faisaient souffrir. Si seulement, je pouvais être au calme et dans le noir, ce serait tellement mieux. Seulement, même si j'entendais parfaitement, j'étais incapable de parler.

Je pris conscience qu'on me déplaçait, et ce fut pire, parce que j'avais encore plus mal. Des mains me trituraient. Elles ne cessèrent pas quand je demandai d'arrêter.

Le bruit s'amplifia.

— Abby! Abby!

— Pouls régulier de cent vingt pulsations à soixante-neuf.

— Pupilles égales et réactives.

— On va lui faire un scanner, elle est trop longue à…

— Hémorragie intracrânienne possible.

Par chance, je replongeai dans l'obscurité.

Lorsque je me réveillai, j'entendis une violente dispute.

Félicia discutait âprement.

— Putain de bordel de merde... je ne sais même pas...

— Je ne sais rien.

— Pourquoi ne faites-vous pas...

— Je refuse...

— Je dois vous demander à tous les deux... vous dérangez les patients.

Et de nouveau, l'obscurité.

Cette fois, lorsque je me réveillai plus tard, je réussis à ouvrir les yeux. Il faisait sombre et le silence régnait, à l'exception d'un *bip bip bip* persistant.

— Abby?

Je tournai la tête vers l'origine du son. Linda.

Je passai ma langue sur mes lèvres. Pourquoi étaient-elles si sèches?

— Docteur Clark?

— Vous êtes à l'hôpital, Abby. Comment vous sentez-vous?

Horriblement mal. Un mal de chien.

— Je ne dois pas aller bien pour que la chef de service se déplace dans ma chambre.

— Ou alors, vous êtes quelqu'un de très important.

Elle s'écarta. Nathaniel se matérialisa derrière elle.

Nathaniel!

Il s'approcha et me prit la main, caressant doucement mes doigts de son pouce.

— Vous m'avez fait très peur.

Je plissai le front en essayant de rassembler mes souvenirs.

— Désolée. Que s'est-il passé?

— Votre taxi est entré en collision avec un camion pou-belle. Cet imbécile de chauffeur a brûlé un stop.

Linda tapa quelque chose sur son ordinateur portable.

— Vous souffrez d'une commotion cérébrale modérée. Je vous garde ici cette nuit. Vous êtes restée inconsciente plus longtemps que dans des cas semblables. Mais il n'y a pas d'hémorragie interne. Rien de cassé. Vous aurez encore mal quelques jours.

Je tentai de hocher la tête, mais c'était trop douloureux.

— Il m'a semblé entendre Félicia?

Linda sourit.

— Nouveau règlement de l'hôpital. Nathaniel et Félicia ne sont pas autorisés à se trouver à moins de six mètres l'un de l'autre.

— Nous avons eu un léger malentendu, précisa Nathaniel. Elle se trouve avec Elaina. Elles ont appelé votre père.

— Est-ce que je peux… ?

Vous avez besoin de repos, intervint Linda. Je vais leur dire que vous êtes réveillée. Nathaniel?

Il hocha la tête.

Après son départ, je lui fis signe d'approcher. Il se pencha vers moi pour mieux entendre.

— J'ai raté le cours de yoga cet après-midi, chuchotai-je.

Il repoussa une mèche de cheveux sur mon front.

— Je crois que je peux faire une exception pour cette fois.

— Et je ne pourrai sans doute pas courir demain matin.

Il sourit.

— C'est probable.

— Le côté positif, dis-je en sentant la torpeur m'envahir, c'est que j'ai l'impression de rattraper le sommeil en retard.

— Chut… !

De longs doigts me caressèrent le front tandis que je sombrais dans les bras de Morphée

On chuchotait autour de moi. Je gardai les yeux fermés pour feindre de dormir.

— Abby?

J'ouvris les yeux. Félicia.

— Je te connais assez pour savoir quand tu fais semblant, tu sais?

C'était vrai.

— Salut, Félicia.

Elle me pressa les doigts.

— Fais-moi encore une fois peur comme celle-là et je t'arracherai les membres un à un.

— Elle devra attendre son tour, fit Elaina dans son dos.

— Bonjour, Elaina.

— Dieu merci, tu vas bien, s'écria-t-elle, les yeux embués de larmes. Franchement, lorsque j'ai vu le camion brûler le feu… j'ai paniqué… Je pensais…. Et Nathaniel qui hurlait au téléphone… J'ai vraiment cru que tu étais morte. Pourquoi ne voulais-tu pas te réveiller, Abby, ajouta-t-elle, le visage en pleurs, imitée par Félicia.

J'essayai de me redresser, mais abandonnai très vite. Cela faisait trop mal.

— Désolée, mais je suis réveillée maintenant, comme tu vois.

Et affamée. J'avais une faim de loup.

Félicia me repoussa doucement sur le lit.

— Tu n'es pas censée te lever, il me semble.

Nathaniel. Il était bien là tout à l'heure. Ou avais-je rêvé?

Linda se matérialisa derrière Elaina.

— Nathaniel est allé vous chercher quelque chose à manger. Il a dit qu'il ne donnerait pas à Apollon ce que nous servons ici.

Oui, cela lui ressemblait assez. Ne jamais dévier de sa ligne de conduite.

— Je me suis bagarrée avec ton petit ami tout à l'heure, ajouta Félicia. Mais il s'est comporté en homme. Tu as ma bénédiction.

— Ta bénédiction pour quoi?

Elle leva les yeux au ciel.

— Pour continuer à le voir.

— Merci, mais je ne savais pas que cela dépendait de toi. Première nouvelle.

Elle haussa les épaules.

Soudain, je portai la main à mon cou.

— Oh, attends… Où sont mes vêtements? Où est mon…

— On a dû découper tes habits, expliqua Elaina. C'était dingue. Ils avaient d'énormes ciseaux. Au fait, c'est moi qui ai ton collier, ajouta-t-elle sans transition avec un clin d'œil. Dans mon sac.

Cela me faisait tout drôle de ne plus le sentir autour du cou. J'avais l'impression d'être plus légère.

Nathaniel reparut sur ces entrefaites, chargé d'un bol sur un plateau. Il portait toujours son costume et sa cravate. Il déposa le plateau sur la table roulante près de mon lit et la poussa vers moi. Il retira ensuite le couvercle du bol.

— Vous devriez voir ce qu'on appelle de la nourriture ici. Du bouillon de poule en *boîte,* vous vous rendez compte!

Le bol exhalait une odeur délicieuse.

— L'avez-vous préparé vous-même?

— Non. Ils ne m'ont pas autorisé, mais je leur ai montré comment faire.

Je l'aurais parié.

Il jeta un coup d'œil à sa tante.

— Tu lui as dit?

Linda secoua la tête.

— Non, elle vient de se réveiller. Viens Elaina, allons manger quelque chose. Félicia, voulez-vous nous accompagner? proposa-t-elle à l'intention de mon amie qui fit un signe de la main.

— Je descends dans une minute.

Après le départ de Linda et d'Elaina, Nathaniel sortit une cuillère de son emballage et la plaça à côté du bol, puis il régla le lit en position assise.

— Mangez.

— Allons, Nathaniel, ce n'est pas un chien, le rabroua Félicia.

Il la fixa d'un air furieux.

— Je sais.

— Ah bon?

— Félicia! fis-je en en guise d'avertissement.

Elle le fusilla du regard et quitta la pièce en traînant les pieds.

Je lâchai un grand soupir.

— Je suis désolée. Félicia est…

Il s'assit à l'autre bout du lit.

— Ne vous excusez pas. Elle est inquiète pour vous et ne pense qu'à vous protéger. Il n'y a rien de mal à cela. Il faut manger maintenant, répéta-t-il en désignant le bol.

J'avalai une gorgée.

— C'est délicieux.

Il sourit.

— Merci.

Je liquidai la moitié du bol avant de retrouver l'usage de la parole.

— C'est Elaina qui a mon collier.

Il me caressa la jambe à travers la couverture.

— Je sais, elle me l'a dit. On le récupérera plus tard.

Je repris une gorgée. *On le récupérera plus tard.* Ces paroles me réjouissaient. Encore une gorgée. J'allais faire comme si nous étions à la table de la cuisine. Après tout, nous n'avions jamais défini un protocole à respecter à l'hôpital.

— Que vouliez-vous dire tout à l'heure? Vous n'avez pas terminé votre phrase. « Si elles m'avaient dit… quoi? »

Il massait toujours ma jambe.

— À propos du week-end. Demain, Félicia et les autres iront à Philadelphie comme prévu. Mais comme vous ne devez pas rester seule, vous viendrez à la maison.

Pourquoi le préciser puisque je passais tous les week-ends chez lui?

Brusquement, je me rappelai. Le match de Jackson.

— Je suis navrée. Vous allez rater le match à cause de moi?

— Savez-vous combien de fois j'ai vu mon cousin jouer?

— Oui, mais là il s'agit des éliminatoires.

— Les éliminatoires aussi, j'en ai vu des tas. Ce n'est pas grave si je rate celles-là. On pourra les regarder à la télé. En revanche, je suis désolé pour vous, conclut-il avec un sourire.

Je n'étais pas invitée.

— Moi?

— Vous et moi devions prendre mon jet pour Philadelphie demain soir. Rester là-bas le week-end et assister au match dimanche. Il tapota la couverture. Maintenant il va falloir se contenter du canapé et de plats à emporter.

La soumise

Il projetait de m'emmener à Philadelphie dans son jet privé?

— Ne vous en faites pas, ajouta-t-il. S'ils gagnent, il nous restera toujours le Super Bowl.

14

Je repoussai le plateau.

Je n'étais pas vaniteuse, mais je voulais vérifier si les dégâts étaient à l'égal de la douleur que je ressentais.

— Y a-t-il un miroir ici?

— Je ne sais pas… Je ne pense pas, bredouilla Nathaniel.

Je le dévisageai, interloquée.

Je ne l'avais jamais vu douter de quoi que ce soit. Tout était toujours blanc ou noir avec lui. Oui ou non. Faites ceci et faites cela. Je ne pensais pas l'avoir jamais entendu dire : *Je ne sais pas.*

Je portai la main à ma figure.

— C'est grave? Est-ce que je suis défigurée?

Nathaniel dénicha à côté du lavabo un miroir de poche qu'il m'apporta. Je le portai à mes yeux.

Chaque chose en son temps, Abby. Concentre-toi sur une partie du visage à la fois.

Je commençai par le haut.

— Beurk, je vais avoir un œil au beurre noir. On dirait que j'ai été battue.

Silence complet du côté de Nathaniel. Je bougeai le miroir. Un bandage recouvrait le côté gauche de mon front.

— Qu'est-ce que c'est? Qu'est ce qui m'est arrivé? demandai-je en tripotant le bandage.

Aïe. Ça faisait mal.

— Blessure à la tête, répondit laconiquement Nathaniel. Le sang pissait de partout, mais ils n'ont pas essayé de l'arrêter. Ils voulaient vérifier d'abord si la nuque n'était pas brisée ou s'il s'agissait d'une hémorragie interne. Les blessures à la tête saignent beaucoup, je me rappelle, ajouta-t-il, le regard lointain.

À cet instant, Nathaniel n'était plus l'homme de trente-quatre ans, mais un petit garçon de dix ans, coincé dans une voiture accidentée.

— Mais ça a fini par s'arrêter.

— Pardon? demanda-t-il en revenant sur terre.

— Les saignements. Ils se sont arrêtés.

— Oui. Et une fois qu'ils se sont assurés que vous n'aviez rien à la nuque, ils vous ont bandé la tête.

Il se leva et débarrassa le plateau.

— Je vais le déposer dehors.

Nathaniel et Félicia se querellèrent de nouveau pour savoir qui allait passer la nuit avec moi.

— J'ai emporté des affaires de rechange et une brosse à dents, avança Félicia.

— Linda va me passer une tenue stérile, contrecarra Nathaniel.

— Il me semble qu'il s'agit là d'un détournement de dispositifs médicaux de leur usage premier, ajouta Félicia en pointant un doigt sur sa poitrine. Je devrais peut-être en informer le conseil d'administration.

Il avança d'un pas.

— Ma tante fait partie du conseil d'administration, je vous signale.

Une infirmière entra à point nommé. Elle me jeta un regard qui signifiait : *Je les mets dehors ?*

Je secouai la tête.

— Dans ce cas, nous restons tous les deux, décréta Nathaniel.

L'infirmière retira la perfusion intraveineuse qu'elle remplaça par un pansement.

— Je suis désolée, monsieur West. Un seul visiteur est autorisé à passer la nuit dans la chambre. C'est le règlement.

À ces mots, je sentis la chaleur gagner mon visage. Mes joues adoptèrent au moins dix-huit nuances de rouge différentes, je l'aurais parié.

Nathaniel se raidit.

— Je vois. Félicia, vous pourrez rester. Il vaut mieux que je me sauve avant qu'ils n'appellent la sécurité. Je passerai demain à la première heure. Bonne nuit, murmura-t-il en se penchant vers moi.

Le calme revint après son départ. Félicia s'installa dans le fauteuil inclinable, dans un coin de la chambre, et je m'assoupis presque aussitôt.

Impossible de dormir dans un hôpital. On n'arrête pas de vous déranger pour vérifier que tout va bien, prendre votre tension ou autre chose. Je somnolai par intermittence cette nuit-là, mais malgré cela je dormis sans doute mieux que Félicia. Le fauteuil inclinable n'avait pas l'air très confortable.

Elle avait mauvaise mine au réveil, le lendemain matin, les traits tirés et de grosses cernes sous les yeux. Ses cheveux habituellement impeccables étaient tout ébouriffés.

— J'aurais dû écouter Nathaniel et rentrer chez moi, observa-t-elle.

— Tu aurais mieux dormi, c'est sûr, acquiesçai-je en essayant de bouger mes membres ankylosés.

Elle se leva et s'étira.

— Je veux dire que je l'ai fait pour rien. Il a passé la nuit dans la salle d'attente.

Je me figeai.

— Nathaniel? Il est resté là? Toute la nuit?

Elle s'approcha de mon lit.

— Oui, toute la nuit. Il était dans le couloir, posté devant la porte chaque fois qu'une infirmière entrait. Je me suis trompée sur son compte. Je crois qu'il tient vraiment à toi.

J'étais en train de digérer l'information lorsqu'il entra. Il jeta un coup d'œil prudent à Félicia, qui l'ignora et s'activa à mettre un peu d'ordre dans la chambre. Un aide-soignant le suivait, chargé d'un plateau.

— C'est l'heure du petit déjeuner, annonça Nathaniel en avançant la table vers mon lit. Au menu, ce matin, nous avons une omelette au jambon et au fromage.

— Il faut que j'y aille, Abby, dit Félicia en m'embrassant sur la joue. Je n'ai pas encore préparé mon sac pour le week-end. Repose-toi surtout. Je t'appellerai dès que possible. Si vous lui faites du mal, je vous coupe la bite et je vous la servirai à *votre* petit déjeuner, lança-t-elle à l'adresse de Nathaniel.

— Félicia! m'écriai-je, sidérée.

— Excuse-moi, ça m'a échappé. Mais je pense ce que j'ai dit.

— Je suis confuse, je ne sais pas ce qui lui a pris, fis-je après son départ.

Il s'assit au bord du lit.

— Elle était dans tous ses états hier. Elle se battra comme une tigresse pour vous si on vous fait du mal.

— Allez-vous me dire à quel sujet vous vous disputiez?

— Non.

Je n'étais pas vraiment surprise qu'il refuse d'en parler. Je goûtai à l'omelette. Délicieuse. Ce qui n'était pas étonnant.

— Les autres patients ont-ils aussi droit à de l'omelette au jambon et au fromage au petit-déjeuner?

— Je me fiche royalement de savoir ce à quoi les autres malades ont droit au petit déjeuner, si vous voulez le savoir.

Là-dessus, sa tante entra, suivie par une infirmière qui reprit ma tension pour la énième fois.

— Bonjour Abby, lança Linda. Je vous fais passer un nouveau scanner et s'il est normal, vous pourrez sortir. Vous logerez chez Nathaniel pendant le week-end?

Je hochai la tête.

— Très bien. À vrai dire, plus tôt vous nous quitterez, mieux ça vaudra. Aux cuisines, ils menacent de démissionner si mon cher neveu y remet les pieds. Alors nous allons nous débrouiller pour que vous partiez avant le déjeuner.

Les résultats du scanner étaient bons, de sorte qu'on me laissa partir avant midi pour éviter à Linda d'avoir à remplacer son personnel de cuisine. Elaina m'apporta un pantalon et un pull en cachemire bleu, ce qui m'évita de quitter l'hôpital en blouse d'hôpital ouverte dans le dos.

Une fois installée dans la voiture de Nathaniel, je repensai à l'accident.

— Qu'est-il arrivé au chauffeur de taxi? demandai-je pendant qu'il slalomait dans la circulation.

— De simples égratignures. Il est sorti de l'hôpital hier. Je n'aime pas les taxis. Je vais vous acheter une voiture.

— Quoi? Pas question.

Il me lança un regard noir, mais pour une fois, cela m'était égal. Ce week-end, il ne jouait pas son rôle de dominant. Cette fois, il s'agissait de… je ne sais pas quoi. C'était différent.

Ses mains se crispèrent sur le volant.

— Pourquoi pas?

Je secouai la tête.

— Je ne trouve pas ça normal.

Je n'avais pas envie de lui expliquer les raisons. Il devrait le comprendre tout seul. Je refoulai des larmes brûlantes.

Vous pleurez?

— Non, mentis-je en reniflant.

— Je vois bien que si. Pour quelle raison?

— Je ne veux pas que vous m'achetiez une voiture.

Ne pouvait-il pas en rester là et me laisser tranquille? Je fermai les yeux. Bien sûr qu'il n'en resterait pas là.

— Parce que j'aurais l'impression de…

— L'impression de quoi…

Je lâchai un soupir.

— D'être salie, comme une pute.

Il serra le volant si fort que ses phalanges blanchirent.

— C'est ce que vous pensez être?

J'essuyai une larme.

— Non. Mais je suis bibliothécaire. Et vous… vous êtes l'un des hommes les plus riches de New York. Cela ressemblerait à quoi?

— Abigaïl, vous auriez dû y réfléchir avant. Vous portez mon collier, je vous le rappelle.

C'était vrai. Ce qui m'avait valu des regards insistants.

— Ce n'est pas pareil.

— Je crains que si. Il m'incombe de vous protéger.

— En m'achetant une auto?

— En veillant à votre sécurité, entre autres choses.

Il conduisit en silence pendant plusieurs kilomètres. Je m'absorbai dans le paysage qui défilait par la fenêtre. Au bout de quelques minutes, je fermai les yeux et fis semblant de dormir. Pourquoi tenait-il absolument à m'acheter une voiture? J'habitais en ville. C'était inutile.

En arrivant, il descendit pour m'ouvrir la portière.

— La question de la voiture n'est pas réglée, ne vous faites pas d'illusion, mais pour le moment, il vous faut du repos. On en reparlera plus tard.

Il m'installa sur l'un des canapés en cuir du salon. Apollo y sauta à son tour et s'enroula à mes pieds. Nathaniel revint quelques minutes plus tard avec un sandwich et des fruits.

Il y avait également un petit bureau dans le salon, et tandis que je zappais les innombrables chaînes de la télévision d'un œil absent, Nathaniel en profita pour travailler. Il avait sûrement beaucoup à rattraper depuis la veille.

Je m'assoupis. Je me réveillai vers quinze heures trente environ et regardai autour de moi. Nathaniel leva les yeux de son écràn.

— Ça va mieux?

Je ne savais pas s'il parlait de la discussion concernant la voiture ou de mes nombreux maux.

— Un peu, répondis-je en pensant que cela s'appliquerait aux deux questions.

J'avalai ensuite les analgésiques posés sur la table à côté de moi. Je me levai et m'étirai. Cela faisait du bien.

Nathaniel éteignit son ordinateur. Il me tendit la main.

— Venez, je veux vous montrer l'aile sud.

L'aile sud? Je pris sa main, elle était chaude, forte et rassurante.

Nous empruntâmes un couloir menant de l'autre côté de la maison où je n'avais encore jamais mis les pieds. Au bout du couloir, se trouvait une porte à double vantail.

Nathaniel me lâcha la main et l'ouvrit en souriant.

— Je restai bouche bée.

Pas étonnant qu'il n'ait pas besoin d'utiliser sa carte de bibliothèque. Derrière le battant se trouvait de quoi fournir des heures de lecture à la population de New York tout entière. Certains possédaient des bibliothèques chez eux, je le savais, mais je n'avais encore jamais rien vu de semblable. Je n'aurais pas imaginé que de telles pièces puissent exister.

Elle était très vaste, illuminée par le soleil de fin d'après-midi entrant par les immenses baies vitrées qui occupaient un mur entier. Quant aux autres… ils étaient tapissés d'étagères remplies de livres jusqu'au plafond. Je repérai même une échelle mobile accrochée à un rail pour atteindre les rayonnages les plus élevés.

Deux canapés confortables meublaient un côté de la pièce, au milieu de laquelle trônait un superbe piano à queue.

— Cet endroit est à vous, déclara Nathaniel. Ici, vous serez entièrement libre d'être vous-même. Vos pensées, vos désirs seront vôtres. Tout est à vous. Sauf le piano. Qui est à moi.

Je déambulai dans la pièce, ébahie, promenant la main sur la reliure des volumes. Cette collection était sans égale – des premières éditions, des ouvrages anciens – impossible d'embrasser l'ensemble d'un seul regard. Le bois précieux, les reliures de cuir, c'était trop.

— Abigaïl?

Je pivotai pour le regarder.

— Vous pleurez. Encore…
— C'est si beau.
Il sourit.
— Ça vous plaît?
Je le rejoignis et l'enlaçai.
— Merci.

15

Les deux dernières journées avaient été longues. Non pas parce que je m'ennuyais. Explorer la bibliothèque était devenu mon passe-temps favori, et je passais des heures à découvrir de nouveaux livres ou renouer avec de vieilles connaissances.

Nathaniel était aux petits soins, il se montrait très courtois, voire un peu distant. Il s'assurait que je mangeais et dormais bien. Il me rejoignait de temps à autre à la bibliothèque sans s'attarder outre mesure. Son côté dominant me manquait. Pas assez toutefois pour le défier ouvertement. Je n'étais pas frustrée à ce point.

Nous n'avions pas reparlé de l'achat de la voiture. Je repensais à ce qu'il m'avait déclaré — qu'il lui incombait de me protéger, de veiller à satisfaire mes besoins. C'était exactement ce à quoi il s'était employé durant le week-end. Et même si son comportement pendant mon hospitalisation et son offre de me laisser librement disposer de la bibliothèque me semblaient très romantiques, je ne devais pas me leurrer. Il agissait exactement comme il me l'avait signifié sur le trajet du retour de l'hôpital – s'assurer que j'avais tout ce qu'il me fallait et veiller à mon bien-être. C'était le moyen d'arriver à ses fins. Il lui fallait une esclave en bonne santé et il ferait tout ce qui était en son pouvoir pour que je me rétablisse. Un point c'est tout.

Cependant, l'abstinence commençait à me peser. Je m'étais reposée tout le week-end. Je me sentais parfaitement bien. Et certains de mes besoins n'avaient pas été satisfaits, loin de là.

Je plaçai le verre que j'avais utilisé dans le lave-vaisselle avant de quitter la cuisine. Je jetai un coup d'œil à ma montre – treize heures. Le match de football commençait dans deux heures. Il restait beaucoup de temps.

Je passai devant la salle de sport. Vide. Nathaniel n'était pas dans le salon. Il était peut-être dehors ou dans sa chambre. Non, il travaillait dans la bibliothèque. Il était assis à la table, installée dans un coin.

Il leva les yeux à mon entrée.

— Tout va bien? Avez-vous besoin de quelque chose?

Je passai mon T-shirt par-dessus ma tête.

— Oui, de vous.

Il lâcha les papiers qu'il consultait.

— Vous devriez vous reposer.

Comme cela n'avait pas l'air d'être un ordre, je n'en tins pas compte. Je déboutonnai mon pantalon et le laissai glisser sur mes hanches avant de m'en débarrasser d'un coup de pied. De toute façon, c'était *ma* bibliothèque, non?

Il resta là à me regarder, le visage dénué d'expression. À quoi pensait-il? Il n'allait quand même pas me dire de vider les lieux? Je passai les mains dans mon dos pour dégrafer mon soutien-gorge. S'il me rembarrait, je ne pourrais pas le supporter.

Et s'il le faisait vraiment?

J'ôtai ma petite culotte qui tomba à terre. C'était peut-être ma bibliothèque, mais il était libre de ses choix. Il pouvait me chasser si l'envie lui en prenait.

Je ne m'étais jamais sentie aussi vulnérable.

Toujours aucune réaction de son côté.

Il allait me renvoyer, c'était certain.

Lentement, très lentement, il repoussa son fauteuil, ouvrit un tiroir du bureau et en sortit quelque chose. Sept pas plus tard, il se tenait devant moi. Il laissa courir ses doigts sur mes épaules et le long de mes bras jusqu'à mes mains. Il les réunit sur le devant de sa chemise et fourra quelque chose dans mon poing serré.

— D'accord, dit-il.

J'examinai ce qu'il avait glissé dans ma paume. Un préservatif.

Parce que les antibiotiques annulent l'effet de la pilule.

Un sentiment de triomphe m'envahit. L'excitation passa directement de mon cerveau au centre de mon être avant de se concentrer dans mon entrejambe douloureux.

Le préservatif tomba sur le parquet. Je m'attaquai fébrilement aux boutons de sa chemise que je réussis à défaire, non sans peine. Je la fis glisser de ses épaules et l'extirpai de son pantalon. Je promenai mes mains sur les pleins et déliés de son torse et de son ventre. Ensuite, je le contournai et me plaçai derrière lui pour contempler son dos viril.

Il était parfait, bien sûr, comme le reste de sa personne. Je traçai des cercles autour de ses omoplates et me haussai sur la pointe des pieds pour déposer un baiser à leur point de rencontre. Il respira plus fort, sans me toucher, me laissant poursuivre mon exploration comme bon me semblait. Je léchai la ligne de sa colonne vertébrale en savourant le goût unique de sa peau.

Je revins me placer devant lui et tombai à genoux à ses pieds, consciente de l'érection qui gonflait son pantalon.

Tiens, tiens…

Je l'effleurai du bout des doigts. Il poussa un gémissement étranglé du fond de sa gorge. Je détachai avec une lenteur délibérée la boucle de sa ceinture avant de déboutonner son pantalon sans jamais interrompre mes caresses à travers l'étoffe. J'ouvris sa braguette encore plus lentement, et promenais mes doigts sur toute la longueur de son sexe.

De plus en plus dur et palpitant.

En deux trois mouvements, je tirai en même temps sur son pantalon et son slip pour le libérer de son carcan. Sa bite surgit à quelques centimètres de mon visage. Je me penchai en avant et la happai tout entière dans ma bouche, en emprisonnant son dos de mes bras pour l'attirer encore plus près. Pour ne pas perdre l'équilibre, il posa les mains sur ma tête. Très doucement.

Je l'engloutis jusqu'à la garde, savourant le bonheur de l'avoir de nouveau en bouche. Je déchirai l'emballage du préservatif, le déroulai sur son sexe et me relevai. Le divan était juste derrière nous; je l'y poussai d'une bourrade et il recula. Nous basculâmes tous les deux sur le canapé, jambes emmêlées.

Il se pencha et referma les lèvres sur l'un de mes tétons qu'il se mit à lécher avec application, m'arrachant des gémissements sourds. Mais j'étais bien décidée à mener la danse. Alors je le repoussai pour me positionner au-dessus de sa bite.

Je m'empalai sur lui, centimètre par centimètre, jusqu'à ce qu'il m'emplisse complètement. C'était exquis.

— Abigaïl, gémit-il en s'arc-boutant pour se loger en moi.

Je le maintins allongé, cambrant les hanches pour l'accueillir tout entier. Ce fut à mon tour de gémir. Je m'interrompis quelques secondes pour mieux me concentrer sur mes sensations. J'adorais le sentir sous moi, et sur moi à la fois. Seigneur, que c'était bon! Je m'inclinai sur son torse et sa bouche vorace suça plus fort mon mamelon. *Oh... c'était divin!*

J'entamai un lent va-et-vient, balançant mon bassin sans relâche. Nathaniel se poussait en moi au rythme de mes déhanchements dans une sorte de ballet terriblement érotique et sensuel. De haut en bas, de bas en haut. Encore et encore.

Ses mains n'étaient pas inactives. Elles entouraient ma taille, remontaient le long de mon dos, empoignaient mes seins. Sa respiration se mua en un râle saccadé. Il m'agrippa la taille et se mit à me pilonner brutalement tandis que je le chevauchais en cadence pour mieux l'enfoncer dans mon ventre. J'étais insatiable. J'en voulais plus. Plus fort, plus vite, plus profond.

Il grogna mon nom et plongea en moi dans une poussée sauvage atteignant un nouveau point secret.

Au bord de l'extase, je me mis à bouger avec frénésie. Il en prit conscience et se mit à l'unisson pour m'entraîner avec lui encore plus haut.

Frissonnante, je me laissai submerger par l'orgasme et, après une dernière poussée vigoureuse, il explosa juste après moi dans un long spasme.

Nous nous effondrâmes sur le divan pour tenter de recouvrer notre respiration. J'avais l'impression d'avoir les bras et les jambes en plomb. À croire que mon accident m'avait affaiblie plus que je ne le pensais.

Il me fit rouler sur le côté, de sorte que je me retrouvai entre lui et les coussins du canapé.

— Ça va?

— Maintenant oui, répondis-je avec un petit sourire.

Finalement, la bibliothèque était ma nouvelle pièce préférée. Même s'il en retirait tous les livres, elle resterait quand même ma préférée. Je laissai courir mes doigts sur son torse. *À moi.* Dans cette pièce, je pouvais faire comme s'il était à moi.

Il me prit la main et la posa sur sa poitrine.

— Je veux que vous vous reposiez maintenant pour le restant de la journée.

— D'accord, répondis-je docilement, du moment que j'avais obtenu ce que je voulais.

Il sauta sur ses pieds, jeta le préservatif et ramassa ses habits éparpillés par terre.

— Quelle sorte de pizza aimez-vous? demanda-t-il en reboutonnant sa chemise.

Monsieur Mangez-ceci-et-pas-cela avait envie d'une pizza? C'était le monde à l'envers. Étais-je en train de rêver?

Il sentit mon hésitation.

— Les Clark mangent de la pizza et des ailes de poulet épicées pendant les éliminatoires. Si nous ne le faisons pas et que les Giants perdent, Jackson nous en voudra à mort.

Je me levai à mon tour.

— J'ai entendu parler de superstitions plus idiotes. Mais ne me dites pas qu'il porte les mêmes sous-vêtements à chaque match.

— Je reste bouche cousue.

Par association d'idées, je me demandai s'il m'embrasserait un jour.

— J'aime la pizza aux champignons et au bacon, répondis-je, résolue à ne plus penser à ses lèvres.

Il enfila son slip.

— Pizza aux champignons et au bacon ? Ça marche. Un pique-nique par terre dans le salon, ça vous dit ?

Nathaniel entouré de pizza et de coussins à même le sol ? Mon esprit se remit à vagabonder…

— Abigaïl ?

— Oui, j'adorerais pique-niquer par terre.

Il n'était pas dupe.

— Maintenant, repos jusqu'à ce soir.

Il me remit le collier à la mi-temps.

Nous avions fait de notre mieux pour Jackson, c'est-à-dire déguster des ailes de poulet et de la pizza. Apparemment, cela avait marché – les Giants venaient d'inscrire un essai.

Il éteignit la télévision et se campa devant moi, le collier à la main.

— Elaina me l'a rendu à l'hôpital.

Je ne pouvais pas mentir, même par omission.

— Elle est au courant. Mais ce n'est pas moi qui le lui ai dit, me hâtai-je d'ajouter.

Il hocha la tête.

— Je m'en doutais. Merci pour votre honnêteté. Je veux être certain que vous le voulez toujours, ajouta-t-il après une pause en cherchant mon regard. Vous en savez davantage maintenant. Peut-être que vous… n'en avez plus envie.

— Bien sûr que si.

Une lueur de surprise illumina son regard pendant une fraction de seconde. *Il croyait que j'allais refuser.* Je m'agenouillai et ployai la tête pour qu'il puisse attacher le collier.

— Regardez-moi, Abigaïl.

J'obéis. Il s'agenouilla à son tour pour passer le bijou autour de mon cou. Il enfouit ensuite ses doigts dans mes cheveux. Son regard s'assombrit tandis qu'il s'attardait sur ma bouche avant de remonter à mes yeux. Il s'approcha imperceptiblement.

Il va m'embrasser.

Je me figeai. Je ne pouvais plus bouger, ni respirer.

Il ferma les yeux et poussa un soupir.

Il se redressa et ralluma la télé. La déception me submergea. Idiote, triple idiote. Je passai une main autour de mon cou. Au moins, j'avais récupéré son collier. J'avais toujours cette partie de lui. Il me désirait encore.

L'équipe de New York gagna d'un point.

— Savez-vous ce que cela veut dire, questionna Nathaniel tandis que la caméra zoomait sur Jackson, levant le poing de la victoire.

— On assistera au Super Bowl?

— Oui, répondit-il en effleurant mon collier. Et j'ai des projets à ce propos.

16

Félicia passa me voir lundi soir, en pleine effervescence. Le match avait été super. Les Wellings étaient géniaux. Jackson surtout. Il était sensationnel. Elle était raide dingue amoureuse de lui. À cent pour cent. En combien de temps? Deux semaines? C'était fou. J'étais contente pour elle. Lorsqu'elle se fut enfin calmée, je lui demandai quel avait été le sujet de sa dispute avec Nathaniel.

Elle coinça une mèche de cheveux derrière l'oreille.

— Ce n'était rien, vraiment.

— Félicia, mon subconscient t'a entendue, ce n'était pas rien, comme tu dis.

Elle se mordit les lèvres.

— J'étais surprise qu'il se trouve déjà là. Je suis ta meilleure amie. C'est moi qui aurais dû arriver la première. C'est idiot. Comme je t'ai dit, c'étaient des bêtises.

J'essayai de me rappeler le fil des événements. Ma mémoire était floue.

— Quand es-tu arrivée à l'hôpital?

— Lorsqu'ils t'ont ramenée dans ta chambre. Juste après le scanner.

Oui, cela se tenait.

— Et Nathaniel?

Elle soupira et se laissa tomber sur le canapé.

— Il était aux soins intensifs en même temps que toi. Les infirmières ont dû le mettre dehors. Tu n'as qu'à le lui demander.

Je fis la sourde oreille.

— Pourquoi l'as-tu qualifié de « beau salaud » ?

— Parce que je le pensais. Tu es son esclave sexuelle ou quelque chose comme ça. Tu es là pour satisfaire ses besoins et il se précipite à l'hôpital quand tu es blessée comme si son monde s'écroulait. Ça m'a énervée.

— Et maintenant, tu as changé d'avis?

Elle se dirigea vers la porte, signifiant la fin de la conversation.

— Plus ou moins, disons que je le supporte. Tu penses l'accompagner au Super Bowl, au fait?

— Oui, il a mentionné quelque chose à ce sujet.

Vers treize heures trente, le mercredi après-midi suivant, je me trouvais à l'accueil de la bibliothèque, le dos à l'entrée, occupée à cataloguer les acquisitions récentes.

— Je souhaiterais consulter la réserve des livres rares.

Encore un abruti qui ne connaissait pas le règlement de la bibliothèque.

— Je suis désolée, répondis-je sans prendre la peine de me retourner. La réserve n'est accessible que sur rendez-vous, et nous manquons de personnel en ce moment. Je n'ai vraiment pas le temps cet après-midi.

— Quel dommage, Abigaïl.

Avez-vous déjà eu l'impression que, lorsque vous vous attendez à quelque chose, cela obscurcit la perception de la réalité? L'idée que Nathaniel puisse se matérialiser dans la bibliothèque où je travaillais, un mercredi après-midi, ne m'avait jamais effleurée. Raison pour laquelle je n'avais pas saisi que c'était lui jusqu'à ce qu'il prononce mon nom.

Je fis volte-face.

Il se tenait devant moi, engoncé dans un Burberry qui laissait apercevoir un petit bout de cravate par-dessus le col de son veston. Il arborait un sourire satisfait.

Nathaniel West dans ma bibliothèque! Un mercredi!

Je tournai la tête.

Tenait-il réellement à voir la réserve des livres rares?

— Le moment est mal choisi? s'enquit-il.

— Non, répondis-je d'une voix rauque. Seulement je suis sûre que vous avez les mêmes chez vous.

— Sans doute.

Je ne comprenais toujours pas ce qu'il avait en tête.

— Et puis vous devrez être accompagné tout le temps que vous passerez dans la salle.

Il retira lentement ses gants, l'un après l'autre.

— J'espère bien. Je mourrais d'ennui si je devais rester seul en tête-à-tête avec moi-même. Ce n'est pas le week-end, je sais. Vous êtes libre de refuser. Il n'y aura pas de conséquence. Cela dit, voudriez-vous m'escorter dans la réserve?

Oh, bon sang!

— Ou...u... oui, bredouillai-je en le regardant retirer son autre gant.

— Très bien.

Je restai pétrifiée sur place.

Il pointa un doigt par-dessus mon épaule, me tirant de ma torpeur.

— Abigaïl, la dame là-bas pourrait peut-être vous remplacer à l'accueil pendant que vous êtes occupée… ailleurs?

Ahhh.

— Abigaïl?

Je me levai comme un automate.

— Martha, appelai-je. Tu pourrais prendre ma place, s'il te plaît? M. West a rendez-vous à la réserve des livres rares.

Ma collègue fit un geste d'assentiment.

— À propos, me dit Nathaniel tandis que nous nous mettions en route, la salle dispose-t-elle d'une table?

Une table?

— Oui.

— Est-elle solide?

— Je pense.

Il m'emboîta le pas dans l'escalier.

— Parfait. Parce que j'ai l'intention d'étaler autre chose que des livres.

Mon cœur battit plus vite.

Je m'escrimai avec les clés pour trouver la bonne, déverrouillai la porte et poussai le battant.

— Après vous, dit-il en s'effaçant galamment pour me laisser passer.

J'entrai en promenant mes regards alentour. La salle était vide, et sauf imprévu, elle le resterait encore un moment.

Il referma la porte derrière moi et la verrouilla. Puis il retira son manteau qu'il posa sur le dos d'une chaise avant de faire le tour de la pièce en inspectant les étagères et les tables qui la meublaient.

— Voilà, dit-il en indiquant celle qui se trouvait au milieu de la pièce. C'est exactement ce que je cherchais.

J'allais faire l'amour dans la réserve des livres rares !

Avec Nathaniel.

— Ôtez-moi vite le bas, Abigaïl, et grimpez sur la table.

J'ignorai la partie de mon cerveau qui m'enjoignait de désobéir, enlevai mes chaussures et dégrafai mon pantalon. Je le fis glisser sur mes hanches et le laissai tomber par terre.

Il défit sa ceinture.

— Parfait. Posez vos talons et vos fesses au bord de la table et écartez vos jolis genoux pour moi.

La température dans la réserve était généralement plus basse que dans les autres salles de la bibliothèque. J'avais toujours froid quand j'y pénétrais mais là, j'avais la peau brûlante. Une nouvelle vague de chaleur m'envahit alors que je le regardais déboutonner, puis ôter son pantalon et son slip. Il enfila un préservatif sur sa bite déjà dure et tendue.

Il se dirigea vers la table, écarta un peu plus mes genoux, puis il me déplaça légèrement pour m'aligner sur son sexe. Il jouait. Il me faisait saliver d'impatience.

— Dites-moi, Abigaïl, vous a-t-on déjà baisée dans la réserve ?

— Non.

Il releva brusquement la tête.

— Non qui ?

— Non, monsieur.

Il pressa son sexe à l'orée du mien.

— Voilà qui est mieux.

Une minute plus tard, il me pénétrait d'une seule poussée. Mes hanches basculèrent en arrière. Il empoigna mes fesses pour me plaquer contre lui.

— Prenez appui sur vos coudes. Je vais vous baiser si fort que vous le sentirez encore vendredi soir.

Je ne me le fis pas dire deux fois. Je me renversai en arrière et ondulai des hanches pour aller à sa rencontre.

Il se poussa en avant, me martelant encore et encore, pendant que je me cramponnai aussi fort que je le pouvais, les pieds fermement plantés pour répondre à ses coups de boutoir de plus en plus rapides.

— Vous êtes à moi, dit-il en s'engouffrant de plus belle.

Ma tête ballottait. J'étais complètement désarmée dans cette position, je ressentais chaque sensation plus intensément.

Oui. À vous et rien qu'à vous.

Il maintenait fermement mes hanches pendant que sa bite me défonçait.

— À moi. Dites-le Abigaïl.

— À vous, répétai-je alors que ses coups de reins s'accéléraient.

C'était trop bon. L'idée que je me trouvais sur mon lieu de travail m'effleura mais je la chassai aussitôt. Je sentis l'orgasme enfler jusqu'à ce que je ne puisse plus en contrôler la spirale et poussai un cri de jouissance. Il lâcha une plainte puis se raidit tandis qu'il explosait en moi avec force.

Il s'inclina vers moi. Sa respiration s'affola et il déposa une traînée de baisers le long de mon ventre.

— Merci de m'avoir accompagné à la réserve.

— Tout le plaisir est pour moi, dis-je en enfouissant mes doigts dans ses cheveux.

Il déposa un dernier baiser au creux de mon nombril avant de se rhabiller.

En remettant mes chaussures, je pris soudain conscience de ce que nous venions de faire. Quelqu'un avait-il pu nous entendre? Peut-être des usagers qui attendaient à l'extérieur? Nathaniel avait verrouillé la porte, mais mes collègues avaient les doubles.

Il me dévisagea.

— Ça va?

— Oui, répondis-je, désireuse de quitter les lieux aussi vite que possible. Je lui pris le préservatif des mains et me dirigeai vers le couloir.

— Je m'occupe de ça.

Il hocha la tête.

— À vendredi, dix-huit heures.

Bien, monsieur.

Nous suivîmes chacun notre chemin, lui vers la sortie, moi en direction des toilettes. Je chancelai, encore complètement chamboulée – j'allais sans doute arborer un sourire stupide le restant de la journée.

Une rose était posée sur les ouvrages sur lesquels je travaillais quand je revins à mon poste. Couleur crème, avec un soupçon de rose vers la pointe des pétales.

Je m'en emparai et m'enivrai de son parfum.

Plus que cinquante-deux heures...

17

J'étais assise à l'accueil en jouant avec la rose.

— J'en connais une qui semble gravement atteinte, clai-
ronna Martha depuis son bureau, le menton posé sur ses
mains.

— Qui ça, moi? dis-je sans cesser de faire tourner la rose
entre mes doigts.

— Et qui veux-tu que ce soit? De même que ce superbe
spécimen masculin qui a déposé cette rose pour toi, enchaîna-t-elle en roulant outrageusement des yeux.

— Tu veux parler de Nathaniel West? dis-je en prononçant
son nom avec délectation. Tu te trompes, c'est une simple
connaissance.

Bien sûr, c'était un mensonge. Nathaniel était bien plus
qu'une simple connaissance. Et la fleur était une manière de
me remercier pour ce petit interlude bien agréable.

Martha se leva.

— Une fleur crème avec des nuances de rose signifie que c'est du sérieux.

— Ah bon? Comment ça?

— John Boyle O'Reilly. Le poète irlandais. Tu connais?

Je secouai la tête. Jamais entendu parler.

Martha battit des mains.

— C'est follement romantique. C'est tiré d'*Une rose blanche*…

— Elle n'est pas blanche.

Elle me jeta un regard mauvais.

— Je sais. C'est le titre du poème.

— Excuse-moi, dis-je, désireuse d'entendre la suite. Et alors?

Elle s'éclaircit la gorge :

La rose rouge murmure de la passion,
Et la rose blanche respire de l'amour;
Oh, la rose rouge est un faucon,
Et la rose blanche est une colombe.
Mais je t'envoie un bouton de fleur couleur crème
Aux bouts de pétales empourprés;
Car l'amour est pur et sucré
Comme un baiser de désir sur les lèvres.

La fleur m'échappa des mains.

Cela ne veut rien dire. ABSOLUMENT RIEN. Il aimait cette sorte de rose, c'est tout. Simple coïncidence.

Seulement Nathaniel et coïncidence allaient rarement de pair.

Jamais.

— Abby? fit Martha.

Un baiser de désir sur les lèvres

Non, cela ne voulait rien dire, me souffla Abby la rationnelle. Ou était-ce Abby la folle? Comment savoir à ce stade?

Bon, continue à te raconter des histoires. Tu peux toujours te dire qu'il fait ça tous les week-ends. Ou ce que tu veux. Cela n'a pas grande importance, n'est-ce pas? Mais cela signifie beaucoup plus pour toi, me souffla Abby la folle. Ou était-ce Abby la rationnelle?

— Abby?

Je ramassai la rose et la posai sur le bureau sans pouvoir en détacher les yeux.

— Excuse-moi, Martha. C'est un très beau poème, très romantique.

Un baiser de désir sur les lèvres.

Je levai la tête et croisai le regard de ma collègue, fixé sur moi.

— Je vais aller faire un tour au rayon poésie, voir ce que nous avons sur O'Reilly, ajoutai-je.

J'avais eu le fantasme fou de devenir l'esclave de Nathaniel West. De me plier à ses quatre volontés. Je devais reconnaître que j'étais amoureuse. Mais qu'en était-il de ses sentiments pour moi?

Étaient-ils partagés?

Le vendredi n'arriverait jamais. Les minutes s'étiraient en longueur et les heures avançaient à reculons. Yoga. Travail. Marche à la place du jogging.

Le jour arriva enfin. J'arrivai chez Nathaniel à dix-sept heures cinquante précises et entendis Apollon aboyer dès que je descendis de voiture.

Nathaniel m'ouvrit. Il était très séduisant dans sa chemise et son pantalon sur mesure. J'avais les jambes en coton rien qu'à le regarder. Il ne me quitta pas des yeux tandis que je montais les marches.

Bonsoir, Abigaïl, dit-il d'une voix si caressante que je faillis tourner de l'œil.

C'était parti.

Il s'effaça pour me laisser passer.

— Entrez. Le dîner est prêt.

Et quel repas! Un coq au vin servi à la table de la cuisine. Des blancs de poulet nappés d'une sauce au vin blanc. Chaque bouchée était un pur délice. L'idée me frappa que Nathaniel et moi adorions faire la cuisine. Et si nous nous mettions aux fourneaux tous les deux ensemble un de ces jours?

Émincer, couper en dés. La vapeur s'échapperait d'une casserole fumante. Goûter pour rectifier l'assaisonnement. Ajouter quelques touches subtiles ici ou là. Le frôler comme par inadvertance tout en m'activant autour du plan de travail. Attraper quelque chose au-dessus de sa tête.

Rejouer la scène de la bibliothèque, à la table de la cuisine cette fois.

Je suis à vous. À vous. À vous.

— Comment vous sentez-vous aujourd'hui? questionna-t-il, me ramenant à la réalité pendant que nous finissions notre repas.

Ses paroles du mercredi précédent me revinrent en mémoire.

Vous le sentirez encore vendredi soir.

Je souris.

— Un peu endolorie aux bons endroits.

— Abigaïl, avez-vous été désobéissante cette semaine?

J'eus un trou.

Il posa sa fourchette parallèlement à son assiette.

— Vous savez ce qui arrive aux filles désobéissantes, n'est-ce pas?

Je secouai la tête.

— On leur donne la fessée.

Ah non, tout mais pas ça!

— Attendez! J'ai fait scrupuleusement mon yoga, j'ai dormi, j'ai marché au lieu de courir, exactement comme vous me l'avez dit.

La soirée virait au cauchemar. J'avais effectivement enfreint les règles l'autre jour. Je l'avais bien compris. Mais pas cette fois. Je n'avais rien fait de mal cette semaine. S'il avait de nouveau l'intention de m'écarteler sur le banc du châtiment, je n'hésiterai pas à utiliser mon code secret.

Le chien!

En tout cas, il n'avait pas l'air fâché ni déçu. Pas comme la dernière fois.

— Abigaïl, combien de sortes de fessées y a-t-il? questionna-t-il posément.

Combien de sortes de fessées? Qu'est-ce que j'en avais à faire? Elles faisaient toutes mal.

— Trois, dit-il en répondant lui-même à la question. Quelle est la première catégorie?

Quelque chose m'échappait. De quoi s'agissait-il? La panique me brouillait les idées. Qu'avait-il dit ce soir-là? Échauffement, châtiment, érotisme.

Érotisme.

Oh.

Il leva un sourcil.

— Allez, bougez vos fesses et montez à l'étage.

Je me levai vivement et montai l'escalier tout aussi vivement. Je m'attendais à voir le banc dans la chambre et poussai un soupir de soulagement en constatant qu'il n'en était rien.

En revanche, une pile de coussins s'amoncelait au milieu du lit de Nathaniel.

Le lit de Nathaniel.

La peur n'a pas droit de cité dans mon lit. Je le croyais. Ce soir serait consacré au plaisir. Il y veillerait. L'excitation embrasa mon bas-ventre.

Je me déshabillai à la hâte et patientai. Nathaniel me rejoignit quelques instants plus tard. Il me fit signe de grimper sur le lit et commença à déboutonner sa chemise.

— Couchez-vous sur le ventre, sur les oreillers.

Je rampai sur les coussins et me positionnai, les fesses en l'air.

Il se dirigea vers la tête du lit et sortit un lien de sa poche. Il m'attacha les poignets, de sorte que je me retrouvai en appui sur les coudes.

— Pas question de vous protéger, hein?

Le matelas bougea lorsqu'il se plaça derrière moi et je sentis ses mains courir sur ma peau.

— Avez-vous utilisé votre plug, Abigaïl?

Je hochai la tête.

— Parfait.

Il m'écarta les jambes. Ses doigts se frayèrent un chemin entre mes cuisses.

— Je vous veux bien ouverte pour moi. Regardez-vous. Vous êtes déjà trempée. Est-ce que la pensée que je vais faire virer au rouge votre joli derrière vous excite?

Je me mordis les lèvres sans répondre.

Il me malaxa les fesses puis sa main s'abattit à trois reprises sur ma croupe. Je ressentis une brûlure très excitante, du genre oui-monsieur-encore-s'il-vous-plaît.

— Les braves citoyens de New York vous payent grassement pour travailler à la bibliothèque, pas pour baiser en douce dans la réserve.

Il me frappa encore et encore, sa main s'aventurant chaque fois sur un endroit différent.

Je n'avais pas spécialement mal, au contraire. La douleur décuplait mon plaisir. La chaleur qui irradiait de ses mains excitait délicieusement toutes mes terminaisons nerveuses. Mon corps le réclamait. J'avais besoin de lui. Qu'il me touche. Qu'il me pénètre tout de suite ou j'allais devenir folle.

Il infiltra brièvement un doigt en moi puis m'infligea à coup à l'endroit où j'étais ruisselante de désir.

— Vous mouillez.

Je geignis sans retenue.

Il m'assena une nouvelle claque.

— Vous aimez ça, hein, Abigaïl ?

Oui, là, je vous en supplie. Oh que c'est bon.

Pan ! Un nouveau coup.

Je me soulevai en avant. Il recommença à me claquer les fesses. Je sentis sa bite bandée pressée contre moi et retins mon souffle.

— Votre derrière est d'une très jolie nuance de rose. Bientôt, je ferai davantage que le fesser. Je le baiserai.

Je perçus un froissement de papier et il bougea pour se glisser à l'endroit où j'étais ruisselante et prête à le recevoir.

Je ne pouvais plus m'arrêter de gémir.

Il se retira et m'administra une nouvelle tape sur mon cul brûlant.

— Pas de jérémiade, ce soir, ou alors vous n'aurez pas ma queue. C'est compris ? Hochez la tête pour dire oui.

Je hochai la tête.

— Bien.

Il s'enfonça brutalement et je me cambrai pour venir à sa rencontre.

— Vous êtes vorace ce soir, hein? Ça tombe bien, moi aussi.

Il se mit à aller et venir en longues ruades vigoureuses et je contractai mes muscles pour mieux l'attirer en moi. Il me défonçait encore et encore. Et je répondais à chacune de ses poussées en me haussant vers lui pour enfoncer son sexe encore plus loin

Profondément.

Le plus possible.

Il glissa la main entre nous et se mit à masser mon clitoris. Une première. À croire que je n'attendais que cela pour exploser de plaisir. Il s'arc-bouta contre moi et jouit en même temps.

Plus tard, je me laissai glisser des coussins tandis que Nathaniel s'effondrait à mes côtés, tout essoufflé. Sa main remonta sur mon flanc, puis sur un sein jusqu'à mon épaule qu'il agrippa dans sa paume.

— Je ne crois pas avoir vu tout ce que je voulais l'autre jour. Auriez-vous l'amabilité de m'accorder un autre rendez-vous dans la réserve, mercredi prochain?

Oui, Monsieur.

Plus tard ce soir-là, je me glissai hors de ma chambre et empruntai le couloir jusqu'à l'escalier. Un quartier de lune éclairait mon chemin d'une lumière dorée irréelle. La porte de la chambre de Nathaniel était fermée lorsque je la dépassai. Je n'avais pas envie de me laisser surprendre à déambuler dans les corridors au milieu de la nuit, même s'il ne me l'avait pas expressément défendu.

Je descendis les marches à pas de loup. Direction la bibliothèque. *Ma* bibliothèque.

Je m'orientai vers la section poésie. Mes doigts errèrent sur les reliures, l'une après l'autre.

Il devait s'y trouver. Il le fallait. Pourvu qu'il y soit.

Mes doigts se figèrent.

Les *Œuvres complètes* de John Boyle O'Reilly.

Fébrilement, je retirai le livre de l'étagère et vins me poster à la fenêtre. Le volume s'ouvrit tout seul aux trois-quarts environ, à la page d'*Une Rose Blanche*.

Quelque chose tomba à terre en virevoltant. Je me penchai et ramassai un pétale couleur crème avec une nuance de rose sur la pointe.

18

J'eus à peine le temps de replacer le pétale entre les pages du livre avant de le remettre à sa place, sur l'étagère, que j'entendis des pas résonner dans le couloir. Quelqu'un se dirigeait vers la bibliothèque.

J'étais coincée.

Nathaniel entra. Il était torse nu, vêtu seulement d'un pantalon beige à cordelette. S'il fut surpris de me voir, il n'en laissa rien paraître. Il alluma une petite lampe.

— Abigaïl? fit-il comme si me trouver dans la bibliothèque à deux heures du matin était la chose la plus naturelle du monde.

— Je n'arrivais pas à dormir.

— Et vous avez pensé que de la poésie vous aiderait à combattre l'insomnie? demanda-t-il en remarquant le rayon où je me tenais. Nous allons jouer à un jeu, vous voulez bien?

La soumise

Elle marche pareille en beauté à la nuit
D'un horizon sans nuage et d'un ciel étoilé ;
Tout ce que l'ombre et la lumière ont de plus ravissant
Se trouve dans sa personne et dans ses yeux...

Il sourit.
— Trouvez le poète.
Je croisai les bras sur ma poitrine.
— Lord Byron. À vous.

Je m'endors avec vous, me réveille avec vous,
Et pourtant, vous n'êtes pas là ;
J'emplis mes bras de pensées de vous,
et ne brasse que de l'air.

Une petite lueur de gaieté s'alluma dans ses yeux.
— J'aurais dû me douter que je ne pourrai pas gagner avec une bibliothécaire diplômée de littérature. Je ne sais pas.
— John Clare. Un point pour moi.
Un sourire malicieux éclaira son visage.
— Voyons celui-là.

Ne permets à ton cœur devin
De me prévoir misère ;
Tu pourrais pousser le destin
À tes craintes parfaire.

J'hésitai une fraction de seconde, le front plissé.
— John Donne !
Il hocha la tête.
— À vous.

Je pris une profonde inspiration en songeant au poème que j'avais lu mercredi soir, les vers qui me trahiraient. Les reconnaîtrait-il?

Vous m'avez donné les clés de votre cœur, mon amour;
Alors pourquoi me laissez-vous frapper?

Je sais, lui dis-je du regard. *Je sais. J'en ai envie. Je vous veux.*

Il ne manifesta aucune surprise, et son sourire me réchauffa le cœur.

— John Boyle O'Reilly, dit-il. Et encore un point pour moi du fait que je connais le vers suivant:

Oh, c'était hier, par tous les saints du ciel!
Et la nuit dernière, j'ai changé la clé!

Je m'aventure en terrain inconnu, me fit-il comprendre. *J'aime mieux faire à mon idée.*

Pourquoi pas?

Je m'éloignai de l'étagère et laissai traîner un doigt le long du canapé en cuir.

— Alors dites-moi, que venez-vous faire dans ma bibliothèque à cette heure de la nuit?

Il désigna le piano du menton.

— Travailler un peu.

— Puis-je rester?

— Bien sûr.

Il s'installa sur le tabouret et se mit à jouer.

Je retins mon souffle.

L'air que j'avais entendu dans mon rêve. Il était réel.

C'était Nathaniel.

Bouleversée, j'écoutais cette mélodie que je m'étais évertuée à retrouver en rêve. Je ne sais combien de minutes s'écoulèrent de la sorte. À croire que le temps s'était arrêté.

Et Nathaniel…

J'aurais pu demeurer éternellement là à le regarder. C'était comme s'il faisait l'amour. Son visage affichait la plus grande concentration ; ses doigts habiles caressaient les touches. J'en oubliai de respirer. La mélodie s'élevait dans la nuit, ajoutant une touche de mélancolie au clair de lune. La musique s'amplifia en un crescendo envoûtant avant de décliner et disparaître.

Le silence s'éternisa. Nathaniel fut le premier à le rompre.

— Venez là, murmura-t-il.

Je traversai la pièce.

— C'est ma bibliothèque.

— C'est mon piano.

Je m'approchai du tabouret, hésitant entre rester debout ou m'asseoir. Nathaniel décida à ma place. Il m'enlaça et m'attira contre lui. Je m'installai sur ses genoux, le dos au piano.

Il promena ses doigts dans mes cheveux, sur mes épaules, suivit la courbe de mon dos jusqu'à la taille. Il enfouit sa tête entre mes seins en soupirant. J'enfonçai les doigts dans son épaisse chevelure.

S'il vous plaît, s'il vous plaît, s'il vous plaît embrassez-moi, étais-je sur le point de supplier. J'aurais voulu attirer sa bouche contre la mienne et l'embrasser à perdre haleine. C'était ma bibliothèque après tout. Mais j'avais envie qu'il prenne l'initiative.

Autrement, ce ne serait pas pareil.

Cela n'aurait pas le même poids.

Il embrassa mon sein droit à travers le mince tissu de ma nuisette. Il avala le mamelon entre ses lèvres et se mit à le mordiller avec entrain.

Arrête de penser et profite des sensations, me dis-je.

Il plongea son regard dans le mien.

— J'ai envie de vous, ici, sur mon piano. Parmi les livres de votre bibliothèque.

Une fois de plus, il me laissait le choix. C'était ma bibliothèque... Je pouvais dire non.

— Oui, murmurai-je, le souffle coupé.

Nous nous redressâmes ensemble. Il porta la main à ma taille et fit passer la nuisette par-dessus ma tête.

— Dans ma poche, chuchota-t-il, tandis que je le débarrassai de son pantalon.

Ah oui. Le préservatif.

— Toujours prêt, hein? dis-je en déchirant l'emballage.

Il ne répondit pas. C'était inutile.

J'enroulai la capote autour de son sexe bandé tandis que, pour le taquiner, j'en profitai pour le pincer avec force. Il se rassit et je nouai fermement mes jambes autour de sa taille.

Je l'enlaçai, laissant courir mille caresses sur son dos du bout des doigts.

Il avait du mal à atteindre les touches avec moi assise sur ses genoux, pourtant il s'évertua à jouer un air qui m'était inconnu. Lent et sensuel. Délicat. Ironique.

Je haussai mon bassin avant de m'empaler sur lui. Il rata une ou deux notes. Je le remarquai.

— Continuez, chuchotai-je, en ondulant des hanches en cadence.

Il obéit.

Je m'inclinai pour lui mordiller le lobe de l'oreille.

— J'adore vous sentir en moi.

Il fit encore quelques fausses notes.

Mes muscles se serrèrent autour de lui, comme doués d'une vie propre, et je me mis à le chevaucher lentement.

— Toute la semaine, je fantasme sur votre bite – sur son goût. La façon dont elle me remplit. Je compte les heures jusqu'au moment de vous revoir. Pour me retrouver avec vous ainsi.

Ses mains désertèrent les touches pour empoigner mon cul. Il tenta de m'entraîner plus loin avec lui, mais je résistai.

— Ne vous arrêtez pas de jouer, dis-je

La musique s'accéléra et gagna en intensité tandis que je tanguais sur son giron.

— Je n'avais jamais encore rien éprouvé de tel, avouai-je. Vous seul êtes capable de me donner ces sensations.

Son jeu devint chaotique, une succession de notes dissonantes qui ne ressemblaient plus à rien. Son corps se couvrit d'une fine pellicule de sueur et je compris qu'il luttait pour garder son sacro-saint contrôle. Afin que la musique ne s'arrête pas.

Il perdait pied.

La mélodie s'interrompit. Alors d'un geste vif, il m'attrapa la taille et plongea brutalement en moi.

Il se cramponna à mes épaules et s'enfonça avec une vigueur renouvelée.

— Croyez-vous que ce soit différent pour moi? laissa-t-il échapper d'une voix rauque. Qu'est-ce qui vous fait penser cela?

Le rythme s'accéléra, chacun s'évertuant à réprimer son plaisir, comme si jouir le premier était un signe de défaite. Je me mordis les lèvres jusqu'au sang pour mieux me concentrer, m'efforçant de refouler mon désir pour le laisser exploser en premier. Il insinua une main entre nous et se mit à pétrir mon clitoris en cercles concentriques de plus en plus rapides.

J'étais perdue.

J'empoignai ses cheveux et tirai à pleines mains. Il grogna contre mon épaule, accentuant la pression de ses doigts.

C'en était trop. Après tout, c'était lui le maître. Il pouvait faire ce qu'il voulait de mon corps. Je n'avais pas la force de lutter. Je capitulai et laissai la jouissance m'inonder. Il me suivit quelques secondes plus tard.

Alors que nous soufflions ensemble pour tenter de reprendre nos esprits, je sentis qu'il érigeait de nouveau un mur entre nous. Brique après brique. Il se repliait. Redevenait distant.

— Petit déjeuner à huit heures dans la salle à manger demain matin, Abigaïl.

Il me souleva et me déposa à terre. Il avait repris le contrôle.

— Pain perdu? demandai-je en rajustant ma nuisette.

— Comme vous voulez.

Restait-il quelque chose de l'autre Nathaniel, celui qu'il m'avait permis d'entrevoir l'espace d'un instant?

Non. Il s'était évaporé.

19

Je mis plus longtemps que d'habitude le lendemain matin à confectionner le petit déjeuner. Je faisais traîner en longueur, redoutant ce qui m'attendait dans la salle à manger. Après l'amant fougueux de la nuit dernière, sous quel masque Nathaniel se cacherait-il, cette fois?

Je me préparai une assiette, après celle destinée à Nathaniel. Quant à savoir où j'allais la déguster, je n'en avais pas la moindre idée. Non, c'était faux. Je savais exactement où j'avais envie de m'installer – à la table de la cuisine en compagnie de Nathaniel.

Que m'avait dit Elaina déjà pendant le déjeuner, juste avant mon accident?

Il faut prendre des gants avec Nathaniel.

Je ferai attention. Je mettrai des gants pour le sortir si doucement de sa coquille qu'il ne saurait jamais ce qui lui était arrivé. Je prendrai un luxe de précautions, évidemment.

Et j'abattrai le mur, brique après brique.

Je plaçai le pain perdu devant lui. C'était peut-être le fruit de mon imagination, mais je crus voir le coin supérieur de sa lèvre frémir imperceptiblement.

Croyez-vous que ce soit différent pour moi? Qu'est-ce qui vous fait penser cela?

Ces paroles résonnaient encore à mes oreilles. Qu'il mange ou non dans la salle à manger n'avait aucune espèce d'importance, je le savais. J'avais réussi à créer une fissure dans l'édifice. Il me fallait un peu de temps pour l'agrandir.

— Allez vous chercher une assiette et joignez-vous à moi, dit-il en piquant un morceau de toast avec sa fourchette.

Je revins au bout de quelques minutes.

— Ce qui s'est passé entre nous hier soir ne change rien, déclara-t-il une fois que je me fus assise à ses côtés. Je suis votre maître et vous êtes mon esclave.

Continuez à vous le répéter, Nathaniel. Peut-être qu'à force, vous arriverez à vous en convaincre. Tout a changé la nuit dernière.

— J'ai de l'affection pour vous, poursuivit-il. Cela se produit parfois. C'est normal, en fait.

J'attaquai mon repas.

Il porta une rondelle de banane à sa bouche, mastiqua et avala.

— Sexe et amour sont deux choses différentes, reprit-il. Mais je suppose que beaucoup font la confusion.

Tout en mangeant, il évitait soigneusement de croiser mon regard, à croire qu'il lui était plus facile de me parler ainsi. Pour ma part, j'étais persuadée d'avoir perçu ses vrais sentiments, la nuit dernière. Aujourd'hui, son comportement me prouvait qu'il se préparait à batailler ferme. Contre lui-même ou contre moi? Contre lui, sans l'ombre d'un doute.

Je te reçois cinq sur cinq, Elaina.

Après le petit déjeuner, il m'ordonna d'aller l'attendre dans sa chambre.

La lumière du jour filtrait à travers les rideaux tirés. Je promenai un regard autour de moi – pas d'oreillers, pas de corde ni de banc. Seulement le lit.

J'avisai ensuite un coussin posé par terre, ce qui ne pouvait signifier qu'une chose. Je m'y agenouillai tout habillée.

Il entra, vêtu du même pantalon beige à cordelette que la veille.

— Très bien, Abigaïl, dit-il en s'approchant. Je suis heureux de voir que vous anticipez mes désirs.

Il retira son pantalon et je vis que son érection n'était qu'à moitié dure.

Avançant la tête, j'encerclai ses hanches de mes bras et l'aspirai dans ma bouche. Il plaqua fermement une main sur ma tête et enfouit les doigts dans mes cheveux.

J'enroulai ma langue autour de la base de sa bite, puis commençai à coulisser sur toute sa longueur, sans cesser d'avancer et de reculer, tandis qu'il effectuait un lent mouvement de va-et-vient dans ma bouche. J'y mettais tout mon cœur. Il pouvait toujours essayer de m'abuser en prétendant ne rechercher que le sexe, je voyais clair dans son jeu et, dans la mesure où il me le permettait, je m'épanchais de la seule manière possible.

À défaut de verbaliser mes sentiments, je pouvais au moins les exhiber. J'allais me rendre indispensable à la satisfaction de ses besoins et l'utiliser en retour pour combler les miens.

Sa respiration s'altéra et il se poussa brutalement entre mes lèvres, exigeant toujours plus. Je l'engloutis au fond de ma gorge pour l'emmener au bord de l'extase, là où il le désirait. Et lorsque je sentis ses mains empoigner plus fort ma chevelure, je cueillis délicatement ses couilles entre mes doigts et commençai à les pétrir, décuplant le plaisir que je lui prodiguais avec ma bouche.

Je levai la tête pour le regarder, cherchant sur son visage l'effet que produisaient mes caresses, et je faillis m'interrompre de surprise. Il serrait les dents avec une expression de grande souffrance. Comme s'il était sur le banc du châtiment.

Alors, je compris. Il voulait se prouver qu'il n'y avait que du sexe entre nous. Et cela me rendit furieuse, car ce que nous avions vécu la veille avait été très beau. Nous aurions pu continuer de la sorte, mais il refusait de reconnaître qu'il pouvait être mon maître et moi son esclave sans que cela altère la pureté de notre relation.

Son excitation monta d'un cran. Quand il se mit à frétiller dans ma bouche, je sus qu'il était proche de la jouissance. Je le suçai avec une ardeur redoublée et lorsqu'il se répandit sur ma langue, j'avalai tout avec ferveur.

Je sentis qu'il se libérait, la pression sur ma tête se relâcha. Il avait l'air plus détendu, presque apaisé en me tendant la main pour m'aider à me relever.

Ses doigts agiles eurent vite fait de me débarrasser de mon chemisier et de mon pantalon. Je me demandais d'ailleurs pourquoi je faisais l'effort de m'habiller. C'était une perte de temps, puisque je ne gardais jamais mes vêtements très longtemps.

Mon regard se porta sur le lit où j'aperçus un tube de lubrifiant qui avait échappé à ma vue tout à l'heure. Tout mon corps se crispa.

Il prit mes mains dans les siennes et m'entraîna vers le lit.

— Regardez-moi, Abigaïl. Où sommes-nous? Répondez.

Je grimpai au milieu du matelas.

— Dans votre chambre.

Il vint s'installer près de moi sans jamais me quitter du regard.

— Où ça dans ma chambre?

— Sur votre lit.

Ses doigts errèrent sur mon flanc.

— Et que se passe-t-il dans mon lit?

Des picotements délicieux me parcoururent le ventre.

— Du plaisir.

Il se pencha pour m'embrasser au creux de mon cou avant de me faire basculer sur l'édredon.

Les paupières closes, je laissai les sensations m'envahir. Ses lèvres, sa langue, ses dents qui me cajolaient, mordillaient, léchaient, suçaient.

Ses doigts se promenèrent le long de mon ventre, emmêlant les boucles de ma toison avant de fureter un peu plus loin, là où j'en avais tellement envie. Mais au lieu de s'allonger sur moi, il inclina la tête plus bas. Sa bouche mordilla la courbe de mon ventre avant de plonger dans le creux de mon nombril.

Il dessina des cercles concentriques autour de ma chatte en émoi, avant d'y plonger le doigt, allant et venant comme dans une danse langoureuse.

Je me mis à onduler frénétiquement des hanches.

— Oui, c'est ça, Abigaïl, murmura-t-il d'une voix apaisante. Concentrez-vous sur votre plaisir, sur ce que vous ressentez.

Il se positionna entre mes cuisses, replia mes genoux, puis les écarta. Je haussai mon bassin, quémandant ses caresses.

— Attendez, dit-il, réalisant combien j'étais mouillée, alors que les vibrations excitantes de sa voix m'arrachaient un gémissement rauque.

Sa langue remplaça ses doigts, à l'endroit précis où j'en avais le plus envie.

Puis, d'un mouvement rapide, il fit basculer mes jambes sur ses épaules, pendant que sa langue continuait de me lécher, dedans, dehors… avec une lenteur affolante. Je me poussai contre lui, j'en voulais plus, beaucoup plus. L'un de ses doigts se mit à dessiner des cercles paresseux autour de mon clitoris.

J'étais tout près de jouir, vacillant au bord du gouffre.

Je n'y pris pas garde lorsque ses mains m'abandonnèrent pour errer vers mes fesses, car il les remplaça aussitôt par sa langue qui poursuivait inlassablement son exploration, sans me donner exactement ce que je voulais.

Ses mains glissèrent vers mon autre orifice à la même cadence que sa langue. Il enfonça un doigt dans les replis de mon anus sans cesser ses soins et ses douces attentions à mon clitoris.

J'en hoquetai de volupté.

— Du plaisir, rien que du plaisir, Abigaïl, susurra-t-il de sa voix lénifiante en taquinant mon cul du bout de son doigt.

Il l'enfonça plus loin sans interrompre ses caresses là où j'avais douloureusement envie de lui, sa langue allant et venant sur un rythme affolant. Soudain, les mouvements de son doigt ralentirent.

Je me retrouvai une fois encore au bord de la jouissance, submergée par des ondes délicieuses partout dans mon corps. C'était tellement meilleur que le plug, à un point que je n'aurais jamais cru possible.

— Là, détendez-vous, murmura-t-il, comme si je pouvais me sentir plus alanguie.

Il infiltra un deuxième doigt dans mon trou arrière et j'éprouvai une brève douleur, mais déjà, sa langue était de retour. Traçant des cercles, me léchant, jouant dans ma chair ruisselante. Ses doigts poursuivaient leur va-et-vient, retardant l'arrivée de mon orgasme.

Il enfonça sa langue encore plus loin tandis que ses dents se mirent à mordiller mon clitoris. Pendant ce temps, ses doigts maintenaient inlassablement leur rythme.

Je me cambrai d'instinct pour lui faciliter l'accès. Je voulais prendre tout ce qu'il pouvait m'offrir, et plus encore.

— Oui, Abigaïl, me dit-il, abandonnez-vous. Laissez-moi vous donner du plaisir.

Je le croyais. Il pouvait me rendre heureuse. Il s'y emploierait d'ailleurs du mieux qu'il pourrait. Je n'en doutais plus.

Ses dents tétèrent mon clitoris plus fort, tandis que ses doigts s'enfonçaient encore plus profond en moi.

Je jouis comme jamais et perdis tout contrôle.

Lorsque je recouvrai mes esprits, Nathaniel me regardait avec un petit air satisfait plaqué sur son beau visage.

— Abigaïl, ça va ?
— Mmm…

Il s'allongea près de moi et m'enveloppa dans ses bras.

— Ça veut dire oui ?

J'acquiesçai et nichai ma tête au creux de sa poitrine. Et là, l'espace d'un instant, il était de nouveau tout à moi.

20

Je fus agréablement surprise lorsque Nathaniel se présenta pour revoir la réserve des livres rares, le mercredi suivant.

— J'ai réfléchi à ce que vous m'avez dit au sujet de la voiture, annonça-t-il en rajustant son pantalon.

J'enfilai mes chaussettes à toute allure, histoire d'être complètement habillée au cas où la discussion s'envenimerait. Je n'avais pas l'intention de faire la moindre concession à ce sujet.

— Ah oui?

Il renoua sa cravate.

— J'ai décidé de ne pas insister.

— Comment cela?

— Cette idée vous est très désagréable, je le sais, et même si je suis convaincu que vous seriez plus en sécurité si vous conduisiez vous-même, votre équilibre mental m'importe autant. Vous n'êtes pas une pute, tenez-vous le pour dit, conclut-il en se plantant devant moi.

J'étais plutôt étonnée qu'il abandonne le sujet aussi facilement, mais d'autant plus heureuse qu'il ne cherche pas à m'imposer sa volonté.

— Merci.

Il boutonna son manteau et se dirigea vers la sortie.

— L'art du compromis, Abigaïl, voilà le secret des bonnes relations. D'autre part, j'apprécie que vous me parliez honnêtement de vos sentiments. C'est quelque chose que j'ai du mal à faire moi-même.

Mince alors !

Je sautai de la table et enfilai mes chaussures.

— Je pourrais peut-être vous aider sur ce point.

Il me tint la porte.

— Peut-être.

Je le retrouvai à un terminal de l'aéroport à seize heures, le vendredi après-midi suivant. Il m'attendait devant un magnifique jet privé. Du moins était-ce l'impression que j'en avais, vu que je ne possédais pas tellement de critères de comparaison.

— Bonjour, Abigaïl, dit-il. Merci d'être à l'heure.

J'acceptai la main qu'il me tendait pour gravir la passerelle menant à bord de l'appareil.

L'intérieur était spacieux et élégant. On aurait dit un appartement chic. J'aperçus un bar, des banquettes confortables, une porte entrebâillée sur une chambre et plusieurs fauteuils en cuir.

Le commandant nous salua d'un geste à notre entrée dans la cabine.

— Nous allons bientôt décoller, monsieur West, déclara-t-il.

Nathaniel m'indiqua la rangée des sièges.

— Allons nous asseoir.

Je pris place à côté de lui avec des papillons dans l'estomac pendant que l'équipage s'activait autour de nous. Ma nervosité s'expliquait de diverses façons – à l'idée de revoir sa famille, sans parler de l'inquiétude concernant ses attentes à mon sujet, le déroulement du match, et bien sûr, je devais l'admettre, l'ignorance où j'étais concernant ses *projets* de pour le week-end, ce qui me rendait positivement folle.

L'appareil décolla en un rien de temps. J'inspirai profondément et fermai les yeux.

— Je veux vous parler de ce qui vous attend, commença-t-il. Vous garderez votre collier. Vous êtes toujours ma soumise. Mais il est hors de question que ma tante ou mon cousin se doutent de quelque chose. Vous éviterez de me donner du maître, du monsieur, et encore moins monsieur West. En fait, vous verrez que vous n'avez pas besoin de m'appeler par mon nom ni par mon prénom, sauf en cas de force majeure.

Je hochai la tête.

— À présent, je vais vous apprendre à vous contrôler.

Une femme d'un certain âge pénétra dans la cabine.

— Désirez-vous boire quelque chose, monsieur West?

— Non merci. Nous vous appellerons le cas échéant. Vous pouvez disposer.

— Très bien, monsieur.

— Elle passera le reste du vol dans le cockpit avec le pilote, sauf si nous avons besoin d'elle, expliqua-t-il en défaisant sa ceinture de sécurité. Ce qui ne sera pas le cas. Venez avec moi, ajouta-t-il en me tendant la main.

Nous nous dirigeâmes vers la chambre dont il referma la porte.

— Déshabillez-vous et allongez-vous sur le lit.

J'obéis en le regardant arpenter la pièce. Nous avions environ deux heures devant nous. De penser à tout ce qu'il pourrait me faire dans ce laps de temps me donnait le vertige.

Je grimpai sur le lit et fixai le plafond. L'impatience bouillonnait dans mes veines tandis que je m'interrogeais sur ce qu'il voulait dire par « contrôle ».

Il ne me fit pas attendre longtemps.

Vêtu de pied en cap, il contourna le lit et tira sur mes bras pour les placer perpendiculairement à mon corps, sans s'occuper de mes jambes.

Il s'assit au bord du lit, tenant ce qui ressemblait à un bol à la main.

— Si vous restez comme cela, je n'aurai pas besoin de vous attacher. Ceci est une plaque chauffante alimentée par des piles. En temps normal, j'utiliserais une bougie mais le pilote ne l'aurait pas accepté. Le règlement est le règlement, conclut-il avec un léger sourire.

Une bougie? Y avait-il de la cire quelque part?

Il sortit un foulard de sa poche.

— C'est mieux les yeux bandés.

Je fus rapidement plongée dans l'obscurité. Nue et dans l'expectative, une fois de plus.

— On ressent souvent du plaisir au contact de la chaleur, expliqua-t-il d'une voix suave.

Je m'étranglai presque quand une goutte de cire tomba sur mon bras, surprise de l'incroyable sensation que cela me procurait.

Il la frotta pour la faire pénétrer.

— C'est de la cire à bougie spéciale. Elle se transforme en huile pour le corps une fois qu'elle est chauffée.

Une autre goutte tomba au creux de mon bras, suivie par la douce pression de ses doigts sur ma peau. Je me raidis, ignorant où la suivante allait atterrir. Elle se répandit sur mon ventre, le haut de ma cuisse, entre mes seins. La brûlure initiale se muait en une agréable chaleur qui me laissait toute molle, comme une poupée de chiffon. Après chaque goutte, Nathaniel la faisait pénétrer par de longues frictions sensuelles.

Je sursautai quand une goutte brûlante tomba sur mon mamelon.

Ohh ! C'était trop bon.

Du bout des doigts, il me caressa de nouveau pour l'absorber.

— Vous aimez, Abigaïl ? me demanda-t-il à l'oreille, tout en versant une nouvelle goutte sur mon autre mamelon.

Je gémis en guise de réponse.

Il fit tomber plusieurs larmes de cire à la fois sur mes seins. Le matelas bougea et je sentis qu'il me chevauchait, pétrissant mon torse à deux mains, pressant mes seins en coupe dans ses paumes, caressant mes bras sur toute leur longueur.

— Du contrôle, reprit-il. À qui appartenez-vous ? Répondez.

— À vous.

— Exact. Cette nuit, vous en serez réduite à mendier ma bite, poursuivit-il alors que ses pouces frottaient mes seins, pinçaient et comprimaient mes tétons. Et si vous êtes sage, je pourrais peut-être vous l'offrir.

Le lit tangua quand il en descendit. Je me sentais toute faible, dévorée de désir. Nue, désarmée et soudain très seule.

Notre hôtel à Tampa était un complexe cinq étoiles. Au cours de la semaine, je m'étais demandé quel serait notre arrangement. Est-ce que je partagerais enfin le lit de Nathaniel ?

Exigerait-il que je dorme par terre? Aurions-nous des chambres séparées?

Je ne le quittai pas d'un pouce pendant l'enregistrement à notre arrivée à l'hôtel, me délectant de son corps rassurant à côté du mien. Je pouvais presque sentir l'électricité qu'il dégageait. Comment se faisait-il que l'employée n'en ait pas conscience? Évidemment, il ne lui avait pas prodigué un massage à la cire chaude, moins d'une heure auparavant.

— La suite présidentielle est prête à vous recevoir, monsieur West, dit-elle.

Elle me glissa un regard du coin de l'œil.

Oui, avais-je envie de lui crier. *Je suis avec lui. Point final.*

— Combien de clés désirez-vous?

— Deux, s'il vous plaît.

Elle lui tendit deux cartes magnétiques qu'il fourra dans sa poche.

— Vos bagages vont suivre tout de suite, ajouta-t-elle.

Il la remercia et nous montâmes à l'étage.

— J'ai réservé une suite pour que vous puissiez disposer d'une chambre et d'une salle de bains, et aussi pour ne pas avoir à vous rejoindre à l'autre bout du couloir au milieu de la nuit. Tenez, vous pourriez en avoir besoin, enchaîna-t-il en me tendant une clé.

La suite était spacieuse et claire. Il me montra ma chambre et m'apprit que nous disposions d'une heure avant de retrouver les autres pour dîner. Nos bagages furent rapidement livrés et je décidai de mettre l'une des tenues qu'Elaina avait achetées pour moi. La robe était de bon goût, sexy et raffinée.

Je retrouvai Nathaniel dans le salon quelques minutes plus tard.

— Très joli, dit-il en m'examinant. Retournez vite dans votre chambre pour enlever vos collants.

Enlever les collants? La robe s'arrêtait au-dessus du genou et il faisait froid dehors.

— Je vous veux entièrement nue sous votre robe. Je pourrais la retrousser à n'importe quel moment et vous prendre quand bon me semblera.

Je me creusai les méninges pour essayer de comprendre ce qu'il voulait dire. En vain. En désespoir de cause, j'obéis, enlevai collant et slip dans ma chambre avant de remettre mes chaussures.

— Soulevez votre jupe, ordonna-t-il lorsque je reparus.

— J'obéis, le rouge aux joues.

Il m'offrit son bras.

— On y va?

Nous avions rendez-vous dans un restaurant-grill du centre-ville. Les fans et les paparazzi se pressaient le long des baies vitrées, bloquant l'entrée. Je mis quelques secondes à comprendre qu'ils attendaient Jackson.

— Quel monde, murmura Nathaniel alors qu'un passant nous bousculait, nous poussant l'un contre l'autre. Je pourrais vous faire tout ce que je veux sans que personne ne remarque rien.

Mes genoux menacèrent de se dérober sous moi.

— Nathaniel! appela Elaina depuis le restaurant en se faufilant à travers la foule. Abby! Par ici!

Heureusement, le personnel du restaurant était très efficace pour refouler les badauds. Néanmoins, notre table était sous les feux des projecteurs pendant que nous prenions place avec les Clark et les Welling.

— Quel temps, hein? s'exclama Elaina alors que Nathaniel m'avançait une chaise. À croire que nous l'avons emmené avec nous de New York.

J'éclatai de rire en m'asseyant.

— Il faisait un peu meilleur là-bas, je crois.

— Ce qui pourrait expliquer pourquoi tu ne portes pas de collant, me dit-elle en reluquant mes mollets nus.

Je fixai Nathaniel qui se borna à hausser les épaules.

— Je déteste ces trucs, rétorquai-je. Je me débrouille toujours pour les filer à la première occasion.

— Comment vous sentez-vous depuis votre accident, Abby? s'enquit Linda, ce qui m'évita de répondre à d'autres questions embarrassantes.

— Très bien, merci, docteur Clark.

— Eh Abby, le voyage s'est bien passé? intervint Félicia.

Je rougis, certaine qu'elle le remarquerait.

— Bien, merci.

— Bien? me chuchota Nathaniel à l'oreille. J'ai versé de la cire chaude sur votre corps nu et c'était juste bien? C'est plutôt insultant.

Il me taquinait, pour changer.

Le serveur nous apporta un verre de vin tandis que nous étudiions le menu. J'hésitai. Ce n'était pas le genre de restaurant que je fréquentais habituellement. Trop classe. Trop intimidant.

— La bisque de homard est excellente, commenta Nathaniel, de même que la salade César. Je vous recommande aussi le filet ou l'aloyau.

Je refermai le menu.

— Bisque de homard et filet pour moi, dans ce cas. Alors Jackson, prêt pour le super match?

Il réussit à détacher les yeux de Félicia.

— Bien sûr!

Il se mit à rire puis engagea une conversation sur le football. J'avais du mal à suivre et je m'efforçais de garder un intérêt poli. Je notai que Félicia était suspendue à ses lèvres. À un moment donné, Jackson se pencha et lui prit la main. J'étais heureuse pour elle. Elle méritait un chic type et, à ce que je voyais, Jackson la traitait comme une reine.

Elaina m'adressa un clin d'œil et me posa une question qui nous permit de changer adroitement de sujet. Todd et elle étaient charmants. Ils m'interrogèrent sur ma famille et les écoles que j'avais fréquentées, histoire de me mettre à l'aise. Il s'avéra que Todd avait fait médecine à l'université de Columbia au moment où j'y passais ma licence. Nous parlâmes de cette époque, remarquant que nous fréquentions les mêmes endroits. Nathaniel avait, quant à lui, étudié à Dartmouth, ce qui ne l'empêcha pas de se joindre à la conversation en nous racontant quelques anecdotes amusantes de sa vie étudiante. Lorsqu'il avait essayé de faire fonctionner le lave-linge et le sèche-linge à pièces pour la première fois, par exemple.

Il y eut un léger flottement dans la conversation lorsqu'on nous servit les hors-d'œuvre. Je posai ma serviette sur mes genoux. J'étais assise si près de Nathaniel que je pouvais presque sentir la chaleur de son corps à côté du mien.

J'avalais une gorgée de potage lorsque je sentis sa main tracer des cercles sur mon genou.

Du contrôle.

Le ciel me vienne en aide!

21

Assise en face de moi, Linda ne se doutait pas de ce que son neveu était en train de faire à mon genou.

— Abby, dit-elle, j'aimerais beaucoup vous inviter à déjeuner. Je serai très prise la semaine prochaine. Le mercredi de la suivante vous conviendrait-il?

Les caresses se poursuivaient sur ma jambe.

— Non, ce ne sera pas possible, répondis-je. C'est le jour où l'un de nos usagers vient travailler à la réserve des livres rares et comme le règlement nous impose d'escorter les chercheurs, c'est moi qui m'y colle.

Nathaniel gloussa en douce.

— Ce doit être assommant, commenta Linda. Mais bon, c'est sans doute ce qu'on appelle le service client.

— Cela ne me dérange pas, c'est rafraîchissant de rencontrer quelqu'un d'aussi assidu.

La main s'aventura un peu plus bas puis effleura la peau sensible à l'arrière du genou.

— Est-ce que mardi vous irait? Il ne vient pas ce jour-là, j'espère?

Pas encore.

— Mardi, c'est parfait.

— Très bien, prenons date alors.

La discussion se poursuivit à bâtons rompus. À un moment donné, Nathaniel et Todd se mirent à parler politique. Elaina me regarda puis leva les yeux au ciel. Une conversation ordinaire au cours d'un dîner mondain. Rien que de très normal.

Au-dessus de la table, en tout cas.

Il fallait le reconnaître, Nathaniel était un maître en matière de dissimulation. Il s'occupait de mon genou pendant quelques minutes, puis passait le pain à Félicia ou découpait sa salade, ce qui nécessitait ses dix doigts. Un peu plus tard, sans crier gare, sa main était de retour, caressant, pétrissant, remontant lentement plus haut avant de se volatiliser.

J'avais les nerfs à vif.

J'avalai une cuillerée de bisque de homard. Nathaniel avait raison. Le potage était délicieux. Crémeux à souhait, avec juste ce qu'il fallait de morceaux de chair. Je croisai machinalement les jambes. Lorsque la main baladeuse revint, elle écarta mes cuisses et reprit ses caresses. Beaucoup plus haut, cette fois.

Homard, me dis-je. *Pense à un homard.*

Les homards étaient des créatures vivant dans l'océan, dotées de pinces énormes qu'il fallait attacher avec des élastiques. Ils viraient au rouge lorsqu'on les jetait dans l'eau bouillante.

La pensée que je vais faire virer au rouge votre joli derrière vous excite?

Je faillis m'étrangler avec une cuillerée de bisque.

Par bonheur, les mains de Nathaniel étaient toutes deux posées à plat sur la table. Il me tapota le dos.

— Ça va?

— Oui, j'ai avalé de travers, excusez-moi.

Le serveur débarrassa les bols et les assiettes. Tout le monde riait, engagé dans une conversation animée.

Nathaniel me resservit du vin, puis se mit à me caresser la cuisse à travers ma robe.

— Et que lisez-vous, hormis la poésie?

Voilà qu'il s'intéressait à mes goûts littéraires à présent.

— Un peu de tout, répondis-je, curieuse de savoir où cette conversation nous mènerait. Avec une préférence pour les classiques.

— *Un classique est quelque chose que tout le monde voudrait avoir lu et que personne ne veut lire,* dixit Mark Twain.

Sur quel terrain dangereux cherchait-il à m'entraîner? M'asticoter par des câlins aguicheurs était une chose, mais me provoquer dans des joutes verbales, surtout littéraires, en était une autre. Déjà qu'il contrôlait mon corps, voulait-il en plus dominer mon esprit? Je me rassurai en repensant à l'épisode de la bibliothèque, certaine que je ne serais pas à court de munitions dans ce domaine.

— *Je ne puis penser du bien d'un homme qui se joue des sentiments de n'importe quelle femme,* rétorquai-je. Jane Austen.

- *Mais quand une jeune lady est destinée à être une héroïne, le caprice de quarante familles de l'environ ne saurait prévaloir contre elle,* riposta-t-il tandis que sa main remontait le long de ma robe. Jane Austen.

— *La vérité est plus éloignée de nous que la fiction,* ajoutai-je. Mark Twain.

Il éclata de rire et bougea sa main.

— J'abandonne. Vous avez gagné. Mais seulement cette manche, je vous préviens.

Je me demandai quels défis il me réserverait à l'avenir.

On nous servit nos plats, et là encore Nathaniel ne m'avait pas menti – la viande était si tendre qu'on pouvait la détacher à la fourchette.

— Hé vous deux, fit Elaina, s'adressant à Félicia et moi. Linda et moi avons pris un rendez-vous au spa demain pour un massage, un soin du visage, et une manucure. Vous êtes nos invitées. Ça vous tente ?

Félicia jeta un coup d'œil interrogateur à Jackson.

Il lui prit la main et l'embrassa.

— Je serai occupé demain de toute façon. Vas-y et profites-en bien.

— C'est très gentil d'y avoir pensé, renchérit Nathaniel et me caressant de nouveau le genou. Pendant ce temps, Todd et moi irons jouer au golf. Aimeriez-vous y aller, Abigaïl ?

— Bien sûr. Cela me ferait très plaisir.

Elaina me gratifia d'un large sourire.

Une journée au spa était une merveilleuse idée. Mais qu'allais-je faire de mon collier ? Ce serait pour le moins curieux de le porter là-bas. Je sentis la main de Nathaniel remonter plus haut sous le tissu de ma robe, et toute pensée rationnelle déserta mon cerveau pendant de longues minutes.

Même s'il ne lui était pas très facile de manœuvrer sous la table pendant que nous dînions, j'étais sur le qui-vive, assise à l'extrême bord de ma chaise.

Ce qui était probablement le but recherché.

Une fois la table desservie, deux adolescents survinrent pendant que nous attendions les desserts. Ils désiraient prendre des photos de Jackson et lui demander des autographes. Il bavarda avec eux quelques instants avant de leur donner rendez-vous pour le match du dimanche. Comme je l'ai dit, c'était une soirée tout à fait ordinaire.

À quoi bon se leurrer? Ce dîner n'avait décidément rien d'habituel.

Nathaniel remplit une nouvelle fois mon verre. J'essayai de me rappeler combien j'en avais bu. Trois? Quatre? Non, sûrement pas quatre.

Sa main se faufila de nouveau sous la table. Il ne la posa pas sur ma jambe, mais s'empara de mes doigts qu'il plaqua sur son entrejambe. Le devant de son pantalon était gonflé à craquer. Il se poussa contre ma paume. Pratiquement sans bouger. À l'insu de tous.

J'étais capable de me contrôler, mais son désir était si évident que je sentis ma volonté m'abandonner. Je serrai les lèvres. Le repas s'éternisait. Je jetai un coup d'œil discret à ma montre. Vingt heures trente. Il était encore tôt. Il ne m'en faudrait pas de beaucoup pour mendier sa bite, ce soir. J'en étais pratiquement réduite à ce point-là.

Des îles flottantes furent servies au dessert. La main de Nathaniel vagabonda le long de ma robe pour s'attarder là où j'étais trempée de désir avant de se poser nonchalamment sur la table. Je me mordis les lèvres pour réprimer un gémissement rauque.

Contrôle-toi.

Je n'étais pas pompette, juste détendue. Et heureuse. Je ne devais pas l'oublier. Et excitée aussi. Tout émoustillée. En état d'apesanteur.

Nathaniel poursuivit ses jeux taquins dans la voiture. C'était chose aisée. Nous étions seuls, personne ne pouvait nous voir. Il releva ma jupe d'une main.

— Vous allez salir la banquette, trempée comme vous l'êtes.

J'aurais voulu lui demander de me fesser. Or nous n'étions ni à la cuisine, ni dans la bibliothèque, mais dans une voiture de location sur le trajet de l'hôtel. Où nous attendait un lit.

Nathaniel et un lit…

Et si je le suppliais?

Maintenant.

Arrivés à l'hôtel, nous empruntâmes l'ascenseur pour monter dans notre suite. Nathaniel me pelota les fesses, m'arrachant un gémissement sourd.

— Un peu de patience, fit-il.

Quelqu'un était venu en notre absence. Les lumières étaient tamisées et les lits préparés. Il me conduisit vers le sien puis fourragea dans un sac en toile posé par terre. Il en sortit un tube de lubrifiant et un vibromasseur qu'il disposa sur l'édredon.

— J'ai été indulgent, Abigaïl, mais là, je suis à bout. Vous êtes prête. Je serai aussi doux que possible.

Je sentis une bouffée d'adrénaline m'envahir. Je n'aurais jamais pensé attendre ce moment avec une telle fièvre.

Vous mendierez ma bite.

Rien ne me laissait croire qu'il pouvait avoir tort.

— Déshabillez-moi, ordonna-t-il.

Je retirai sa veste le long de ses épaules. Ses muscles durs roulaient sous mes doigts tremblants. Je voulais les voir. Je déboutonnai sa chemise et m'escrimai fébrilement dessus. Puis je défis sa ceinture, abaissai le pantalon et le slip sur ses hanches en me délectant à la vue de son érection.

— Une petite gâterie pour vous, dit-il. Afin de vous remercier de vous être bien comportée au dîner, ce soir.

Je tombai à genoux et avalai son gland en gémissant. Il enroula mes cheveux autour de ses doigts et se mit à coulisser dans ma bouche.

Mmm… Il avait bon goût.

Il se retira trop vite et me remit sur mes pieds chancelants.

— Déshabillez-vous, ordonna-t-il.

J'enlevai mes chaussures et passai une main dans mon dos pour dégrafer la fermeture Éclair. Je repoussai lentement ma robe en la faisant glisser le long de mes bras. Le vêtement tomba sur le sol en un petit tas soyeux auquel vint s'ajouter mon soutien-gorge.

Il dardait sur moi un regard affamé, comme s'il voulait me dévorer.

— Caressez-vous, m'ordonna-t-il en s'asseyant sur le bord du lit.

Je portai docilement mes mains à mes seins que je me mis à pétrir l'un après l'autre en lents cercles concentriques en m'attardant sur les mamelons. Je les fis rouler entre mes doigts, les taquinai, les pinçai plus fort. La souffrance fut vite remplacée par une onde de plaisir. Je laissai descendre mes doigts le long de mon flanc, encerclai mon nombril, puis descendis encore plus bas. Une main plaquée sur mon pubis, j'imprimai un mouvement de bascule à mon bassin et commençai à me frotter contre ma paume sans retenue.

— Ça suffit, dit-il. Venez là.

J'allais vers le lit, et sentis le miel couler le long de mes cuisses. Il m'attrapa par la taille et m'allongea sous lui. Ses mains et ses dents exploraient les recoins les plus secrets de mon corps. Elles me mordillaient, m'égratignaient, me pinçaient, me titillaient. J'étais submergée par des sensations à l'état pur, partagée entre plaisir et délicieuse souffrance.

Le besoin me consumait, je criais, je gémissais, incapable de me retenir. Heureusement qu'il ne m'avait pas ordonné de me taire, car je n'y serais jamais parvenue.

Ses mains se firent plus douces, ses lèvres plus légères. Je me tortillai pour en réclamer davantage. Tout de suite. Je n'en pouvais plus.

S'il vous plaît... Je vous en supplie...

Il me fit basculer sur le côté, le dos plaqué contre son torse, puis il s'empara du tube de lubrifiant posé près de moi. Lorsqu'il me toucha de nouveau, ses doigts étaient chauds et glissants.

Cet homme était un vrai magicien.

Comme le week-end précédent, il se mit à caresser mon clitoris du bout de l'index, tandis qu'un doigt jouait avec mon anus. Il prenait son temps, en effectuant des mouvements lents, en m'élargissant toujours plus avant d'infiltrer un deuxième doigt.

C'était trop bon...

De l'index, il continuait à me faire subir ce délicieux traitement sur ma vulve tandis que je me collais encore plus étroitement contre lui. Je voulais qu'il me prenne tout de suite. Vite et fort. De sa main libre, il souleva ma jambe et se glissa derrière moi – sa queue brûlante se pressant à l'orée de l'étroit orifice.

Il se poussa en avant et commença à enfoncer son gland entre mes fesses. En le sentant m'écarteler, j'eus le souffle coupé. Il ne pourrait jamais pénétrer entièrement, c'était impossible. Il resta dans cette position sans cesser de masser mon clitoris. Pour me détendre, m'apprivoiser. Il s'enfonça un peu plus, élargissant tout doucement mes chairs meurtries. Mon corps tout entier me faisait mal, mais j'avais confiance. Je savais qu'il voulait me satisfaire.

Il continua à se frayer un chemin lentement, en repoussant les résistances, et se figea une fois son gland entièrement planté en moi. Pour me donner le temps de m'habituer. Il interrompit les caresses de ses doigts et me pressa la main.

— Ça va?

Je repris mon souffle.

— Oui, dis-je sincèrement.

Il déposa un baiser dans le creux de ma nuque.

— Parfait.

J'étais sienne. C'était aussi simple que cela.

Je perçus un léger ronronnement. Le vibro. D'une main, il me serrait contre lui, pendant que de l'autre il faisait glisser le sex toy le long de mon ventre jusqu'à ma chatte ruisselante. Il l'introduisit délicatement tout en enfonçant sa bite plus loin entre mes reins.

J'étais écartelée d'une façon que je n'aurais jamais cru possible. Pénétrée devant et derrière, remplie, comblée. Il s'enfonça encore. Centimètre par centimètre. Jusqu'au bout.

— Vous êtes sûre que ça va? questionna-t-il d'une voix tendue.

— Oui.

Il s'interrompit, à l'écoute de mes sensations.

Je savourai le plaisir incroyable que la vibration procurait dans mes intérieurs. Il recommença à bouger, sa queue comme le vibromasseur, dans des sens opposés. Je ne bougeais pas, inondée par les sensations, attendant qu'il me propulse plus loin, encore plus haut.

J'aspirai l'air entre mes dents. Partagée entre douleur et plaisir. C'était trop, plus que je ne pouvais supporter. Ma respiration devint saccadée lorsqu'il se mit à bouger plus vite. Les vibrations me submergèrent, me secouèrent comme autant de fourmillements délicieux.

Je ne pourrais pas résister encore très longtemps. La respiration de Nathaniel se fit plus lourde, hachée, et mon ventre se contracta. Quelque chose enflait au plus profond de moi, menaçant de me briser en mille morceaux.

Je me mis à geindre lorsque la sensation s'intensifia. Je n'avais jamais rien connu de pareil. D'aussi dément. Je n'en pouvais plus. La violence de ses coups, un va-et-vient frénétique. Sa bite. Le jouet. Sans relâche jusqu'à ce que le vibromasseur atteigne un nouvel point insoupçonné.

Oui, s'il vous plaît...

Presque, j'y étais presque...

Je poussai un cri de bonheur pendant que le monde s'écroulait autour de moi dans un feu d'artifice d'éclairs brillants et lumineux. Il s'enfonça encore plus loin pour me donner un nouvel orgasme.

J'avais vaguement conscience d'entendre couler de l'eau.

J'essayai de me retourner, mais mon corps ne m'obéissait plus. Je me sentais toute molle.

Deux bras me saisirent et me portèrent dans la salle de bains. Je ne distinguai rien dans la lumière diffuse pendant qu'il me déposait avec précaution dans l'eau chaude.

Il me savonna sans hâte en veillant à ne pas faire de mouvement brusque. Il était toujours nu, sans doute transi de froid, toute son attention concentrée sur moi. Lorsqu'il eut terminé, il me sortit de la baignoire, m'installa sur le rebord et me sécha avec de grandes serviettes douces.

— Vous avez été merveilleuse, murmura-t-il en me caressant les cheveux. Je le savais.

Il me souleva dans ses bras, me porta jusque dans mon lit et me borda avec soin.

22

Des voix étouffées provenant du salon m'éveillèrent le lendemain matin. Je roulai sur le côté et plissai les yeux pour
consulter le réveil. Sept heures trente.

Sept heures trente !

Je sautai du lit et enfilai mon peignoir en vitesse avant de
me rappeler que je n'étais pas chez Nathaniel, mais à l'hôtel.
À Tampa. Inutile de préparer le petit déjeuner.

Soulagée, je m'assis sur le lit et remarquai la bouteille
d'eau et les deux comprimés de Doliprane posés sur la table
de chevet. Les délicates attentions qu'il avait pour moi déclen-
chèrent des frissons dans tout mon corps.

J'avalai les cachets et me rendis à la salle de bains. Elaina
et Linda n'ayant pas précisé l'heure à laquelle nous devions
nous retrouver au spa, je me douchai et m'habillai sans me
presser, les yeux dans le vague, me remémorant la veille au
soir.

J'avais cru que l'autre nuit dans la bibliothèque avait tout changé entre Nathaniel et moi. À la réflexion, je m'étais trompée. C'était la nuit précédente.

Dire qu'hier encore je m'inquiétais de savoir si je pouvais porter le collier au spa. Ce matin, j'aurais marché sur du verre pilé pour son propriétaire. Ou sur des charbons ardents. Sur du verre pilé *et* sur des charbons ardents. Je serais même allée lui décrocher la lune. Quant au collier, je l'arborerais au spa ou n'importe où avec joie et fierté.

Je le rejoignis à la table du petit déjeuner, dans le salon.

— Venez donc manger avec moi, Abigaïl.

J'obéis avec empressement. C'était sans doute le service de chambre qui m'avait réveillée. Mon assiette encore chaude m'attendait. Bacon, œufs et toasts. Sans oublier les fruits frais, le jus d'orange pressé et le café odorant. Mon estomac gargouilla bruyamment.

— Linda et Elaina vous ont donné rendez-vous à neuf heures trente, m'apprit-il. Je ne sais trop ce qu'elles ont prévu, mais apparemment vous en aurez jusqu'au milieu de l'après-midi.

J'étais désolée de ne pas passer ce temps en sa compagnie. Moi au spa et lui au golf. Une journée gâchée. C'était ridicule de me sentir triste, mais je ne pouvais pas m'en empêcher.

Je mangeai en silence, me demandant quel stratagème inventer pour rester auprès de lui – prétexter des maux d'estomac, une grippe subite, voire la bonne vieille excuse du syndrome prémenstruel? D'un autre côté, une journée au spa en compagnie d'Elaina, Félicia et Linda, ça ne se refusait pas…

Et puis il y avait toujours la nuit prochaine…

Une fois le petit déjeuner expédié, il se plaça derrière moi pour détacher mon collier.

— Elaina et Félicia sont au courant concernant notre style de vie. En revanche, j'aime à croire que ma tante l'ignore, et même si ce n'était pas le cas, il n'y a aucune raison de l'afficher. Vous le récupérerez cet après-midi.

Je ployai la nuque.

Il me releva le menton du doigt, son regard étincelant plongé dans le mien.

— Vous êtes toujours à moi. Même sans cela.

À ces mots, des picotements d'excitation me parcoururent de la tête aux pieds.

Je repérai Félicia devant le spa et courus la rejoindre.

— Salut!

Elle se retourna, tout sourire.

— Salut, tu as passé une bonne nuit?

Mon sourire n'avait rien à envier au sien.

— Époustouflante, répondis-je en roulant des yeux avec ostentation.

Elle me saisit le bras.

— Ne me raconte pas. Demande-moi plutôt comment était ma nuit à moi.

Tant mieux, parce que je n'avais pas vraiment envie d'entrer dans les détails.

— Alors, c'était comment?

Elle afficha un sourire béat.

— Oh, Abby, c'était génial. Après le dîner, nous sommes allés sur la plage. C'était trop drôle! Jackson tâchait de ne pas se faire remarquer et il n'y parvenait pas, tu sais comment c'est, hein? Il ne peut pas passer inaperçu. Il n'arrêtait pas de signer des T-shirts, et le reste… Et il était tellement gentil avec tout le monde, même s'il était évident qu'il aurait préféré qu'on nous fiche la paix. On a fini par dénicher un endroit tranquille et on a bavardé la moitié de la nuit. Tu ne devineras jamais.

De toute évidence, c'était une question rhétorique car elle enchaîna sans me donner le temps de répondre.

— Il a l'intention d'arrêter le football, de prendre sa retraite et devenir entraîneur dans un lycée. Et puis tu sais quoi? Il veut quatre enfants.

Pour n'importe qui d'autre, le fait aurait été insignifiant, mais pour Félicia… ce détail revêtait une grande importance. Elle avait parlé de fonder une grande famille du premier jour où je l'avais rencontrée.

Elle m'agrippa les mains avant de poursuivre.

— Quand il a balancé cette petite bombe, je lui ai parlé de mon projet d'ouvrir une école. Il n'a pas trouvé l'idée ridicule ou étrange. Abby, je me raconte peut-être des histoires, c'est idiot, mais je crois vraiment que c'est le bon.

Je la serrai dans mes bras.

— Tu n'es pas idiote et je suis tellement, tellement heureuse pour toi.

— Merci, ma chérie. Au fait, il est où, ton truc? demanda-t-elle en désignant mon cou.

Je lui fis les gros yeux.

— Mon truc, comme tu dis, s'appelle un collier. Nathaniel veut rester discret à cause de Linda. Elle n'est pas au courant.

Elaina et Linda arrivèrent peu après et nous nous rendîmes toutes les quatre au spa. On nous accueillit dans un vestiaire luxueux, où l'on nous informa de notre emploi du temps pour la journée avant de nous remettre nos peignoirs. Des soins différents étaient prévus pour chacune d'entre nous dans la matinée, mais nous devions nous retrouver au déjeuner.

Félicia et moi allâmes nous changer ensemble.

— Oh, Abby, qu'est-ce que tu as là? s'exclama-t-elle en indiquant mon dos.

Je me contorsionnai pour mieux voir.

— De quoi parles-tu?

— On dirait que tu as une égratignure ou une morsure à l'épaule. Qu'est-ce que tu as encore fabriqué là nuit dernière?

Je poussais un soupir au souvenir de la soirée.

— Laisse tomber, reprit-elle. À la réflexion, je préfère ne pas savoir.

On vint nous chercher et nous nous séparâmes. Félicia pour un massage et moi, un soin du visage.

Lequel m'apporta une détente totale. Je m'assoupis d'ailleurs à un moment donné. Cela n'était pas très difficile, sur la table recouverte de serviettes moelleuses. Une musique douce emplissait la cabine qui sentait bon la lavande épicée.

L'esthéticienne me tapota légèrement l'épaule pour me réveiller avant de me guider vers une cabine voisine où m'attendait une séance de massage.

Le soin commença par un gommage. Également parfumés à la lavande, les sels permettaient une exfoliation douce. Je me rinçai ensuite dans une douche à jets multiples.

Ce qui me fit inévitablement penser à Nathaniel et au bain qu'il m'avait donné la nuit dernière. Ses mains… Il m'avait savonnée avec une sorte de vénération. Puis il m'avait longuement brossé les cheveux et séchée minutieusement partout…

Un coup frappé à la porte de la cabine me tira de ma rêverie et l'employée reparut.

— Mademoiselle King, êtes-vous prête?

Je me retrouvai allongée de nouveau sous des couvertures chaudes. Pas question de m'endormir, cette fois. Je voulais engranger des souvenirs. En fait de massage, je n'avais connu jusque-là que celui que m'avait offert Nathaniel dans l'avion. De la cire chaude. Mmm… Je me demandais ce qu'il avait prévu pour le vol du retour.

— Avez-vous des zones douloureuses? questionna la masseuse.

Je me demandai brièvement comment elle réagirait si je lui parlais de certaines courbatures dues aux activités de la nuit précédente.

— Non, pas vraiment, dis-je.

Un peu plus tard, j'arrivai la première dans la salle à manger couleur ivoire du spa. Une musique douce jouait en fond sonore et des bougies illuminaient les tables. Je m'allongeai sur une chaise longue confortable et fermai les yeux un petit moment.

— Abby? appela Linda.

Je me redressai vivement.

— Ah, Linda, je vous attendais justement.

Elle prit place à côté de moi.

— Avez-vous passé une bonne matinée?

— Excellente. C'est très gentil à vous et à Elaina d'avoir organisé cette journée.

Elle attrapa un verre d'eau.

— C'est grâce à Elaina. Au départ, j'avais l'intention de faire du shopping, mais j'ai trouvé cette idée bien meilleure.

Sur ces entrefaites, les deux autres arrivèrent, hilares, suite à une plaisanterie d'Elaina. Peu après, on nous servit des salades au poulet grillé. Elles avaient l'air fort appétissantes, avec des légumes croquants, de la feta, des amandes et des canneberges. Nathaniel n'aurait pu qu'approuver.

— Comment s'est passée la soirée d'hier? s'enquit Linda en picorant un morceau de poulet.

Elaina sourit.

— Linda et moi sommes tombées d'accord sur les avantages de faire l'amour à l'hôtel.

Linda piqua un fard.

— C'est vrai, mais là, je voulais juste m'assurer que Jackson et Nathaniel s'étaient comportés en parfaits gentlemen suivant l'éducation que je leur ai donnée.

— Je ne suis pas certaine que *gentleman* soit le meilleur qualificatif s'appliquant à Todd, fit Elaina en posant sa serviette sur ses genoux. En tout cas, il a été très bien toute la nuit.

Félicia en avala de travers.

À l'évidence, Elaina et Linda étaient plus intimes que je le croyais. J'adorais la façon dont elles se taquinaient. Elles parlaient d'hommes et de sexe comme auraient pu le faire deux sœurs.

— Abby, dit Linda en changeant de sujet, vous avez suivi vos études à Columbia, si j'ai bien compris?

— Oui, comme Todd, n'est-ce pas?

— Il y a passé son master, précisa Elaina.

Je pris une bouchée de feta et de canneberges. Délicieux mélange.

— Et Nathaniel a fréquenté Dartmouth, c'est bien ça?

— Oui, confirma Linda. Pendant longtemps, il a été attiré par l'académie navale. Nous avions même organisé un entretien pour lui. Finalement, il a changé d'avis et a opté pour Dartmouth. Il a toujours été un enfant très introverti, vous pouvez en comprendre la raison. Il a très mal supporté la mort de ma sœur.

Je fixai mon assiette en me rappelant son regard hanté pendant mon séjour à l'hôpital.

Linda prit la main de Félicia.

— Bon, parlons de Jackson à présent. C'était mon petit sauvageon. Heureusement que nous avons pu l'orienter vers le sport – je n'ose imaginer les ennuis qu'il se serait attirés autrement.

— Il s'en attire encore pas mal, intervint Elaina entre deux bouchées. Tu te rappelles l'incident du parapente?

— Et comment! Après ça, il a été interdit de stade pendant un mois. Je crois que ça l'a vacciné du parapente.

Après le déjeuner, tout le monde enfila un maillot de bain pour se prélasser dans le jacuzzi. Je ramenai mes cheveux sur le côté pour masquer les stigmates qu'avait remarqués Félicia. Je repensai à la nuit dernière en tâchant vainement de me rappeler quand Nathaniel avait bien pu me faire ces marques. D'autres parties de mon corps étaient endolories, mais pas mon épaule. Il ne m'avait offert que du plaisir.

Je rêvassai plusieurs minutes dans le bain bouillonnant en me remémorant la nuit passée. Je jetai un coup d'œil à la pendule accrochée dans un angle de la piscine. Dans combien de temps pourrais-je enfin le retrouver? songeai-je avec impatience.

Elaina traversa le jacuzzi pour me rejoindre, interrompant mes pensées.

— Abby, Nathaniel t'a prévenue?

— À quel propos?

— Linda veut se coucher tôt, Félicia et Jackson vont passer la soirée avec le reste de l'équipe. Du coup, Todd et Nathaniel ont décidé de sortir dîner ce soir avec nous, bien entendu.

En temps normal, j'aurais adoré passer la soirée avec Elaina et Todd, mais après avoir été séparée de Nathaniel toute la journée, j'espérais un tête-à-tête dans notre suite, nus comme des vers…

— Allons, ne sois pas déçue, dit-elle en me tapotant affectueusement l'épaule. Nathaniel te voit tout le temps – moi je n'ai qu'aujourd'hui pour profiter un peu de ta présence. D'autant qu'on sera rentrés tôt. Demain est un grand jour, tu sais. Une bonne nuit de sommeil s'impose.

Du sommeil… Quelle drôle d'idée. Qui avait besoin de dormir ?

23

Après le jacuzzi, nous nous rendîmes dans une autre cabine pour une séance de manucure et de pédicure. Nous étions alignées en rang d'oignons, chacune devant une esthéticienne différente. Nous avions choisi le même vernis rouge foncé, appelé *Après le sexe*. Elaina pouffa en l'apprenant et nous fûmes prises d'une crise de fou rire, comme des adolescentes attardées.

Après quoi, on se dit au revoir avec des embrassades à n'en plus finir, avant de retourner dans nos chambres respectives. Nous devions nous retrouver autour d'un brunch, le lendemain matin. Elaina m'envoya un baiser en me rappelant notre rendez-vous, un peu plus tard dans la soirée.

J'avais hâte de revoir Nathaniel.

Il lisait un journal dans notre suite en m'attendant. Il m'accueillit d'un regard avide.

— Avez-vous passé une bonne journée? questionna-t-il en parfait gentleman qu'il était pendant que ses yeux me signifiaient d'au moins six façons différentes qu'il avait envie de moi.

Désespérément envie…

— Oui, maître.

Il se leva, le collier au bout des doigts.

— Il vous manque quelque chose?

Je fis signe que oui.

— Vous voulez le remettre?

Je hochai la tête.

Il se campa derrière moi.

— Dites-le. Dites-moi que vous en avez envie.

— J'en ai envie. Je veux votre collier.

Il me débarrassa de mon chemisier et ramena mes cheveux sur le côté droit, dénudant mon épaule avant de déposer un baiser sur l'égratignure.

— Je vous ai marquée hier soir, murmura-t-il tout contre ma peau. Je vous ai marquée comme mienne et je le referai très bientôt. Je peux imprimer mon empreinte de dizaines de manières différentes, ajouta-t-il en me mordillant l'épaule.

Je me fis violence pour ne pas le supplier, tellement j'en avais envie. J'étais si excitée que j'en avais le vertige.

— Malheureusement, nous devons dîner avec Todd et Elaina, ajouta-t-il en attachant le bijou autour de mon cou. Allez vite vous changer. Vos vêtements vous attendent sur le lit.

Une robe en coton à manches longues et une paire de ballerines. Pas de collant. Je saisis l'allusion et dédaignai ma petite culotte.

Nathaniel se tenait près du canapé lorsque je reparus.

— Penchez-vous sur l'accoudoir, Abigaïl.

Je m'exécutai en me demandant où il voulait en venir. Nous étions presque en retard. Debout derrière moi, il souleva ma robe et effleura ma peau nue du bout des doigts.

— Je suis heureux de constater que vous devinez mes pensées. Dommage. J'avais très envie de vous donner une bonne fessée avant le dîner.

Je me promis de ne pas oublier mon slip la prochaine fois.

Nous nous rendîmes en voiture dans un petit restaurant du front de mer, non loin de l'endroit où Félicia et Jackson avaient passé la soirée, la veille.

— Il y aura du poisson au menu, annonça Nathaniel. Vous en commanderez.

Ça tombait bien, j'adorais ça. Je me demandais ce qui se passerait le jour où il exigerait quelque chose dont je n'aurais pas envie.

Nous arrivâmes avant Todd et Elaina et nous installâmes dans une alcôve, à l'autre bout de la salle. Nathaniel s'effaça pour me laisser passer.

J'étais en train d'étudier le menu, hésitant entre le saumon et le mérou, lorsque Todd et Elaina arrivèrent.

— Bonsoir, Abby, fit Todd du bout des lèvres.

Qu'avais-je fait pour lui déplaire? me demandai-je, surprise. Je levai les yeux et surpris le regard noir qu'il décocha à Nathaniel. Apparemment, ce n'était pas après moi qu'il en avait.

Je glissai un œil vers Elaina. Elle haussa les épaules. Soit elle ne voulait rien dire, soit elle-même n'en savait pas plus que moi.

Le serveur vint prendre la commande des boissons. Après son départ, Todd laissa bruyamment retomber le menu sur la table. Nathaniel le fusilla du regard.

— Dis-moi, Nathaniel, où as-tu laissé Apollon pendant le week-end? demanda Elaina, histoire de dégeler l'atmosphère.

— Au chenil, répondit-il sans quitter Todd des yeux.

— Il va mieux alors?

J'avais envie de demander des explications, mais l'expression de Todd me glaçait. Que s'était-il passé entre ces deux-là?

— Un petit peu mieux, oui.

Todd marmonna quelques mots indistincts dans sa barbe.

Le serveur revint avec nos boissons. Son regard effleura le doigt d'Elaina où scintillaient l'alliance et une grosse bague de fiançailles.

— Avez-vous fait votre choix? demanda-t-il.

Il prit sa commande et celle de Todd avant de se tourner vers nous, de l'autre côté de la table.

— Et pour madame? me demanda-t-il.

— Ce sera le saumon, dis-je en passant le menu à Nathaniel.

Le serveur me lança une œillade.

— Très bonne idée. C'est notre plat le plus demandé.

Nathaniel s'éclaircit la gorge.

— Et pour vous, monsieur? dit le serveur.

— Le saumon également.

L'homme nota nos commandes et se balança sur ses talons sans me quitter du regard.

— Vous êtes venus pour le match? s'enquit-il.

Je me collai contre Nathaniel, comme pour signifier: *Désolée, je ne suis pas libre.*

Ses lèvres se retroussèrent dans une sorte de rictus.

— Oui, intervint Elaina, voyant que personne ne répondait. Vivent les Giants!

— Écoutez, dit Nathaniel au serveur. Plus vite vous lancerez notre commande, plus vite nous pourrons repartir, vous voyez?

Le serveur me jeta un dernier coup d'œil et s'en fut.

Le silence s'éternisait. Je contemplai la mer par la fenêtre en me creusant la tête pour deviner quelle mouche avait piqué Todd et Nathaniel. Pourvu que je ne sois pas l'objet de leur dispute.

— Je vais aux toilettes, annonça Elaina. Abby, tu m'accompagnes?

— Volontiers.

Nathaniel se leva pour me laisser passer.

— Tu peux me dire ce qui leur arrive? demandai-je une fois la porte des toilettes refermée.

— Aucune idée. Il a dû se produire quelque chose après le golf, mais je n'en suis pas sûre. J'espère que ce sera oublié demain. La journée risque d'être longue, autrement.

— Crois-tu que j'y sois pour quelque chose?

Elle secoua la tête, se tourna vers le miroir et passa une main dans ses cheveux.

— Honnêtement, je ne pense pas. De toute façon, Todd est au courant pour Nathaniel et toi. C'est curieux qu'il ne m'ait rien dit.

De retour à notre table, je m'aperçus que les deux hommes se disputaient. Todd leva la tête à notre arrivée et s'interrompit aussitôt.

Le dîner fut tendu. Elaina s'évertuait à relancer la conversation qui n'aboutissait nulle part. Le serveur s'en rendit compte. Il se hâta de nous servir nos plats et ne repassa que pour remplir les verres.

Nathaniel et moi étions sur les nerfs en regagnant notre chambre. Je sursautai lorsque la porte claqua derrière nous. En un éclair, il me plaqua contre le battant.

— Et merde, merde, merde! jura-t-il contre ma peau tandis qu'il relevait ma robe pour la faire passer par-dessus ma tête.

Il arracha mon soutien-gorge et le balança par terre.

Sa sauvagerie, sa brutalité m'excitaient au plus haut point, déclenchant une onde de désir pur au creux de mon ventre. J'avais envie de lui. Aussi impérieusement qu'il avait envie de moi. Il s'écarta, le temps de baisser son pantalon et s'en débarrassa prestement.

Après quoi, il me souleva de terre et me colla contre la porte.

— Le week-end prochain, quand vous viendrez chez moi, vous serez nue à partir du moment où vous franchirez le seuil jusqu'à ce que vous repartiez. Compris?

Oui. Oui.

Ses doigts glissèrent plus bas, et il en insinua deux en moi. J'étais déjà toute mouillée. Sa main s'entortilla dans les boucles de ma toison.

— Je vous prendrai quand et où je voudrai. Je vous baiserai cinq fois rien que vendredi soir.

Oui, s'il vous plaît.

— Et je veux que vous soyez entièrement épilée. Qu'il ne reste pas le moindre poil. Maintenant, écartez les jambes et fléchissez les genoux. Et plus vite que ça. Je ne suis pas d'humeur à attendre.

J'obéis et il se pencha pour me pénétrer en me soulevant encore plus haut. J'émis un couinement haletant, émerveillée par la puissance de ce premier assaut. Il se retira avant de replonger plus loin, m'écrasant contre la porte, tandis que je m'arc-boutai autour de ses hanches.

Il me cloua contre le battant. J'encerclai son dos de mes bras et y plantai les pouces.

— Oui, cria-t-il en s'enfonçant de nouveau en moi, plus brutalement que jamais.

Si profondément que j'inspirai par petits coups pour prolonger le contact, resserrant mon étreinte autour de lui.

— Oui! répéta-t-il.

Bang.

Bang.

Bang.

J'espérais que personne ne se promenait dans le couloir devant notre chambre. Chaque nouvelle poussée envoyait des vibrations depuis mes bras jusqu'au bas de ma colonne vertébrale, là où nous étions soudés l'un à l'autre.

Une vague de chaleur se répandit dans mon bas-ventre, signe avant-coureur de la jouissance qui montait en moi, menaçant de me submerger. Je ravalai un gémissement.

— Pas encore, Abigaïl, je n'ai pas fini, dit-il en me pistonnant de plus belle, me broyant le dos contre la porte.

Je gémis plus fort en me contractant autour de lui.

— Vous jouirez quand je vous le dirai, reprit-il en se retirant pour me pénétrer avec plus vigueur. J'ai apporté le fouet à lanières, je vous préviens.

J'enfonçai mes doigts dans son échine, sentant ses muscles tendus comme des fils d'acier. Nous cognâmes de nouveau rudement contre la porte. Je n'allais plus tenir très longtemps, je le savais. Il ploya les jambes et me donna un nouveau coup de boutoir, si violent que mon cul heurta durement le battant, lui facilitant l'entrée. Encore et encore.

Bon sang, que c'était bon!

Je me mordis les lèvres. Bang. Grave erreur. J'avais un goût de sang sur la langue. Bang. Je ne tenais plus. J'allais exploser. Bang. Je geignis sourdement.

Il abaissa les yeux vers moi.

— Jouissez maintenant.

Je renversai la tête et m'abandonnai aux spasmes du plaisir qui montaient en moi. Il explosa à son tour en me mordillant l'épaule, propageant une nouvelle vague d'orgasme dans tout mon corps.

Il m'allongea par terre quelques minutes plus tard, hors d'haleine. J'étais dans un état second et j'avais le plus grand mal à rester debout. Il s'en fut à la salle de bains, revint avec une serviette humide et me nettoya avec douceur, comme la veille.

— Je suis désolé, dit-il.

S'excusait-il pour sa brusquerie, sa brutalité?

— Je sors, enchaîna-t-il. À plus tard.

Je finis par m'assoupir d'un sommeil agité et ne l'entendis pas rentrer cette nuit-là.

24

Le brunch était prévu vers onze heures. Je fis la grasse matinée et pris mon temps pour me préparer. Nathaniel ne m'ayant pas laissé de directives vestimentaires, je décidai d'enfiler un pantalon noir et un pull en cachemire gris. Sans oublier ma petite culotte.

Il n'avait fait aucune allusion à ce sujet, n'est-ce pas?

Je voulais voir sa réaction lorsqu'il s'apercevrait que j'en portais une.

Ce fut le Nathaniel calme, posé et nonchalant que je revis le lendemain matin. Plus aucune trace du sauvage qui m'avait prise contre le mur en me déchirant la nuque pendant qu'il jouissait.

Toutefois, comme je devais passer la matinée avec sa tante, ses amis et une foule d'inconnus, je devais retrouver mon calme et afficher un calme imperturbable, comme si je n'avais pas grimpé aux rideaux la veille au soir.

J'aurais tout donné pour une nouvelle partie de jambes en l'air contre la porte.

Arrête ça, m'ordonna la vertueuse Abby.

Montre-lui ta petite culotte, m'enjoignit la vilaine fille

Je décidai d'écouter cette dernière. Nathaniel ne me quitta pas des yeux lorsque je me dirigeai vers la cafetière et me versai une tasse. Je me tournai de façon à lui donner une vue parfaite de mon cul en me déhanchant juste ce qu'il fallait.

— Abigaïl, ne me dites pas je vois la marque de votre slip, là?

Je me figeai, ma tasse à la main.

Eh oui, il s'agit bien de cela. Et maintenant, qu'allez-vous faire, hein ?

— Approchez, dit-il en reposant son café sur la table.

J'avançai, le cœur cognant dans ma poitrine.

Il se leva et vint se placer derrière moi.

— Vous portez un slip? Retirez-le. Maintenant.

Je défis mon pantalon, le fis glisser sur mes hanches et enlevai ma culotte.

— Penchez-vous sur l'accoudoir du canapé, Abigaïl.

Je m'exécutai, lui offrant mon cul.

Il me fessa.

— Plus de slip jusqu'à la fin du week-end. *Deuxième claque.* Lorsque j'en aurai terminé avec vous, vous irez me chercher toutes vos petites culottes dans votre chambre. *Nouvelle raclée.* Vous les remettrez lorsque je vous le dirai. *Fessée.* Et ce ne sera pas le week-end prochain, n'y comptez pas. *Encore une fessée.* Vous connaissez le programme de la semaine prochaine, je vous l'ai dit la nuit dernière.

Nouvelle fessée. Une chaleur montait entre mes cuisses. Ce qu'il me faisait était trop bon. Absolument tout. Je me poussai contre sa main pour lui signifier que j'en voulais plus.

Nouvelle déculottée.

— Non, pas de ça ce matin. Remettez votre pantalon et apportez-moi ce que je vous ai demandé.

Quelle frustration !

L'ascenseur nous conduisit à la salle de réception privée où avait lieu le brunch. Je ne reconnus que Linda et Félicia au milieu de la foule où se pressaient plusieurs des associés d'affaires de Nathaniel.

Félicia et Linda bavardaient à l'autre bout de la pièce. Elaina et Todd arrivèrent juste après nous.

Nous sommes un peu en avance, constata Nathaniel en plaçant une main dans le creux de mes reins. Je dois parler à quelques personnes. Voulez-vous que je vous accompagne auprès de Félicia et Linda, ou préférez-vous rester ici ?

Si je ne bougeais pas, Elaina viendrait peut-être me retrouver en privé, espérai-je.

— Je reste ici.

Il effleura l'attache de mon bras.

— Je ne serai pas long. Je reviens tout de suite.

Je le suivis du regard tandis qu'il se frayait un passage dans la cohue. Elaina vint se glisser à côté de moi peu après.

— Viens-là, dit-elle en m'attirant derrière un grand vase.

Je jetai un coup d'œil à Nathaniel. Il était engagé dans une conversation animée avec un couple d'un certain âge.

Elaina suivait son mari du regard.

— Nathaniel est venu frapper à notre porte la nuit dernière et Todd est parti le rejoindre aussitôt après, déclara-t-elle. Il s'est fermé comme une huître, mais je crois que c'est à ton sujet, tu avais raison.

À quoi rimait cette frénésie contre la porte, la nuit dernière ? Voulait-il prouver quelque chose à Todd ? Ou à lui-même ?

Ou bien à moi ?

— J'essaie de suivre tes conseils, dis-je. Je fais très attention. Parfois – je repensai à la bibliothèque – j'ai l'impression de réussir à percer sa carapace, et d'autres fois – je songeai à la veille au soir – cela m'est complètement indifférent.

— Todd était de meilleure humeur en rentrant, poursuivit-elle. Je pense que son explication avec Nathaniel l'a un peu calmé.

Je me mordis les lèvres en essayant de comprendre.

Elle me pressa la main

— J'ai toujours le même conseil. Poursuis dans la même voie. Apparemment, ça marche.

Impossible de me rappeler à quelle heure je m'étais endormie, sauf qu'il était tard.

— Combien de temps Todd s'est-il absenté hier soir ? demandai-je.

Quelques heures, je crois. D'après lui, Nathaniel cherchait un piano.

Un piano, oui, cela avait du sens. Il semblait toujours rasséréné après avoir joué. Je repensai au jour où je l'avais chevauché pendant un morceau – j'étais persuadée qu'il s'était senti mieux ensuite. Je glissai un regard dans la salle. Il parlait toujours avec le couple âgé.

— Ce sont des relations d'affaires ? demandai-je à Elaina en reléguant l'épisode de la bibliothèque et du piano dans un coin de mon cerveau.

Après la journée au spa, j'étais convaincue qu'elle était dotée d'un sixième sens s'agissant du sexe.

Sa voix baissa d'un cran.

— Non. Ce sont les parents de Mélanie.

Les parents de Mélanie ! Je n'en revenais pas.

— Que font-ils ici ?

— Ce sont des amis de la famille.

Je jetai un coup d'œil alentour.

— Elle est là elle aussi ?

— Non, elle n'a pas été invitée.

Todd se dirigea vers nous.

— Bonjour, mesdames.

Elaina lui prit la main.

— Veux-tu manger quelque chose ?

Nous nous dirigeâmes vers le buffet. Je choisis ce que je prenais d'habitude pour le petit déjeuner, outre quelques mini-sandwiches que je rajoutai dans mon assiette. Après quoi, chacun prit place à la table de Félicia et Linda, où Nathaniel nous rejoignit peu après.

— Depuis combien de temps travaillez-vous à la bibliothèque, Abby ? me demanda Todd, une fois que le sujet du match de la soirée prochaine fut épuisé.

— Sept ans. Avant, j'étais employée dans l'une des bibliothèques universitaires.

Ah oui ? J'ai dû vous croiser, alors. Je passais beaucoup de temps à la bibliothèque quand j'étais étudiant.

Je fis un effort de mémoire. Il était séduisant, mais pas de façon aussi spectaculaire que Nathaniel.

— Je ne crois pas. Je me rappellerais, sinon.

— Merci, c'est flatteur.

Elaina nous dévisagea tour à tour, Todd, Nathaniel, et moi. Que se passait-il ? Quelque chose m'échappait. Je jetai un coup d'œil à Nathaniel. Il ne fit rien pour m'éclairer.

— Préférez-vous la bibliothèque publique à celle du campus ? poursuivit Todd.

Je souris et adoptai un ton léger pour détendre l'atmosphère.

— Il y a plus de diversité parmi les usagers, répondis-je. Les étudiants peuvent être odieux parfois. Vous ai-je jamais demandé de baisser le ton ou de ne pas arracher les pages des manuels?

Todd éclata de rire.

— Non. Je m'en serais souvenu.

Était-ce une impression? J'aurais parié que Nathaniel avait poussé un soupir de soulagement quand la conversation revint sur le match.

Une loge nous avait été réservée au stade. Il faisait plutôt glacial et j'étais heureuse de regarder le match bien au chaud à l'intérieur plutôt que de me geler sur les gradins dehors.

New York dominait de trois points avant la mi-temps. Nathaniel me prit la main et m'entraîna vers la sortie en annonçant à la cantonade que nous reviendrions un peu plus tard. Il ramassa au passage un sac en toile posé par terre.

— Mon projet démarre dès maintenant, me chuchota-t-il à l'oreille.

Curieux. Il me semblait qu'il l'avait déjà exécuté, son projet – la nuit où il m'avait possédée tout entière, corps et âme, la nuit qui avait tout changé. Mon cœur se mit à battre plus vite... Que pouvait-il manigancer encore?

Il me remit le sac.

— Allez-vous changer. Vous trouverez un billet supplémentaire là-dedans. Rendez-vous avant le début du show de la mi-temps.

J'emportai le sac aux toilettes. J'y trouvai une minijupe. *Par ce froid?* Il contenait aussi deux épaisses couvertures.

Pourquoi changions-nous de place? Et pourquoi à l'extérieur, alors que la loge était chauffée?

Je songeai ensuite aux jours qui venaient de s'écouler. Je ferais tout ce qu'il me demanderait. N'importe quoi. J'enfilai la minijupe et pliai mon pantalon que je rangeai dans le sac, les couvertures par-dessus.

Mon billet indiquait le premier rang des tribunes intermédiaires. J'avais vu juste.

Les gradins étaient bondés. Mon arrivée ne suscita pas de curiosité particulière. Nathaniel me rejoignit quelques minutes plus tard.

Il m'attira à lui, passa un bras autour de mes épaules et y traça des cercles du bout des doigts. Mon cœur s'emballa dans ma poitrine.

Il se pencha vers moi. Sa langue virevolta au creux de mon oreille.

— Savez-vous que trois personnes sur quatre fantasment à l'idée de faire l'amour en public? Pourquoi rêver si on peut tenter l'expérience pour de vrai?

Oh…

— Je vais vous baiser pendant le Super Bowl, Abigaïl, déclara-t-il en mordillant le lobe de mon oreille. Si vous restez tranquille, personne ne s'apercevra de rien.

Ses paroles me firent mouiller comme une folle. Je promenai mes regards alentour. Tout le monde était emmitouflé dans des couvertures. Je commençai à comprendre ce qu'il avait en tête.

Il continuait à tracer des cercles hypnotiques sur mon épaule.

— Levez-vous et prenez une couverture. Laissez une ouverture dans le dos. Ensuite, vous poserez un pied sur la rampe devant vous.

J'obéis, les cuisses humides en me figurant ce qu'il s'apprêtait à me faire. En bas, sur la pelouse, un joueur intercepta une passe et la foule poussa une longue acclamation. Je m'entortillai dans la couverture – elle était plus longue que j'avais cru. Je ne sentais pas le moindre courant d'air.

Les secondes s'écoulaient sur le tableau d'affichage. Dix, neuf, huit – Nathaniel se plaqua contre mon dos – cinq, quatre, trois – les spectateurs autour de nous se levèrent comme un seul homme – deux, une. Les joueurs quittèrent le terrain au milieu des vivats.

Nathaniel enroula une autre couverture autour de nous. Nous étions comme n'importe quel couple en train de se peloter. À un détail près. Que je sentais brûlant et dur dans mon dos.

En contrebas, on s'affairait à monter la scène. La main de Nathaniel se faufila sous mon chemisier. J'eus le souffle coupé lorsqu'il pinça l'un de mes mamelons entre ses doigts.

— Tenez-vous tranquille, répéta-t-il en guise d'avertissement.

Il s'ingéniait à me rendre dingue sous les couvertures, ses mains vagabondaient sous mon corsage, et son érection, dure comme la pierre, se nichait dans la raie de mes fesses. Pendant ce temps, il ne cessait de me chuchoter des mots crus à l'oreille, me disant qu'il allait m'envoyer au septième ciel, que je le faisais bander, qu'il ne pouvait plus attendre.

Je voyais clair dans son jeu. Il me rendait la monnaie de ma pièce après la petite séance de l'autre nuit, quand je lui avais demandé de jouer du piano alors que je le chevauchais dans la bibliothèque. Il se vengeait. C'était l'enfer. Et le paradis. L'enfer et le paradis inextricablement mêlés au point qu'il était impossible de les différencier.

Les lumières décrurent graduellement dans le stade.

Je sentis qu'il s'écartait le temps de déboutonner son pantalon.

Il se rapprocha.

— Penchez-vous sur la balustrade.

Je louchai vers la droite. Un homme et une femme se tenaient à la rampe. Collés l'un contre l'autre, ils ne nous accordaient aucune attention.

— Personne n'en saura rien, assura Nathaniel en retroussant l'ourlet de ma jupe sous les couvertures. Les gens sont tellement absorbés dans leur bulle qu'ils ne remarquent pas ce qui se passe autour d'eux. Une catastrophe pourrait se produire à deux pas qu'ils ne s'en rendraient même pas compte. Bien sûr, ici et maintenant, c'est un avantage, conclut-il en insérant un doigt dans ma chatte brûlante.

Un chanteur monta sur la scène, accueilli par un tonnerre de clameurs et d'applaudissements, pendant que Nathaniel me transperçait avec son doigt. Je poussai un léger cri, noyé dans le brouhaha de la foule.

Il allait et venait en moi au rythme de la musique. À croire que nous dansions. En fait, nous dansions bel et bien. Un lent ballet langoureux et sensuel. Il me tenait par la taille, me plaquant étroitement contre lui à chaque nouvelle poussée. J'écartai encore plus les jambes pour lui faciliter l'accès.

Il se mit à pousser plus vite en cajolant de nouveau mon téton entre ses doigts. Je me mordis les lèvres pour ne pas gémir de bonheur.

— Dire que personne n'imagine ce que nous sommes en train de faire, me susurra-t-il à l'oreille. Vous pourriez crier autant que vous voulez, on ne vous entendrait pas.

À la chanson d'après, il ralentit le tempo, bougeant à peine. Nous étions toujours emboîtés l'un dans l'autre. C'était divin de le sentir enfoncé en moi de toute sa longueur. Il ralentit encore, mais cela m'importait peu. Pourvu qu'il ne se retire pas. Qu'il veuille toujours de moi.

Il ralentit encore pour se calquer sur la chanson suivante, mais il était toujours là, planté en moi, et c'était ce qu'il voulait. Qu'il soit lent ou rapide, qu'il me prenne contre une porte ou dans un stade devant plusieurs milliers de personnes, il n'en faisait qu'à sa tête, mais il était là, en moi.

Quand le rythme s'accéléra de nouveau, il baissa la main et se mit à pétrir mon clitoris en mouvements circulaires. Ses caresses devenaient de plus en plus brutales à chaque pénétration, si bien que je redoutai de basculer par-dessus la rampe. Ou de me liquéfier sur place et m'effondrer par terre. Autour de nous, les spectateurs se déhanchaient en cadence, pendant que, sous les couvertures, ses mains et son corps nous faisaient danser à notre rythme propre.

Je renversai la tête en arrière lorsqu'il s'enfonça au plus profond de moi avec un grognement rauque. Il me labourait de plus en plus vite et fort, exacerbant ses poussées et ses frottements tandis que la chanson touchait à sa fin. Je perçus des éclairs de lumière. Un feu d'artifice ? Difficile à dire. Sept roulements de batterie résonnèrent dans le stade, ponctués par les puissantes ruades de Nathaniel.

— Jouissez avec moi, chuchota-t-il en me pilonnant une dernière fois. J'explosai avec lui alors que des ovations acclamaient l'artiste sur la scène.

Nous étions immobiles contre la rampe. La foule se calmait peu à peu. En attendant que notre rythme cardiaque s'apaise, il se serra contre moi comme il ne l'avait encore jamais fait, et je sentis battre son cœur dans mon dos. Très vite.

— Fantastique ! Je n'avais jamais assisté à un show aussi extraordinaire, souffla-t-il dans mon cou.

25

Je me blottis sur les genoux de Nathaniel pendant le troisième quart-temps. Nous regardions le match, emmitouflés dans les couvertures. De temps en temps, il me caressait les cheveux ou effleurait le lobe de mon oreille.

— Nous devrions retourner à la loge, dit-il lorsque la période toucha à sa fin.

Ah oui, le match.

Qui gagnait, au fait?

Je fis mine de me lever, mais il m'en empêcha.

— Savez-vous pourquoi nous avons attendu?

Parce que vous aimez que je m'asseye sur vos genoux.

Parce que vous adorez me serrer dans vos bras.

Parce que vous êtes fasciné par le lobe délicat de mon oreille.

Parce que, même si vous vous refusez de l'admettre, vous ressentez quelque chose pour moi.

Parce que vous m'aimez, peut-être.

— Parce que votre visage vous trahit, expliqua-t-il. Vous êtes un livre ouvert.

J'éclatai de rire. Il n'avait pas tort.

Je sautai sur mes pieds en gardant la couverture autour de moi.

— Il vaudrait mieux aller vous changer, dit-il. Félicia va me sonner les cloches si elle vous voit en jupe avec ce temps.

Je me dis que Félicia me passerait un savon à moi aussi, mais ce n'était vraiment pas le centre de mes préoccupations.

J'allai donc me changer aux toilettes, où j'appris que les Giants étaient en bonne voie de gagner. Bon à savoir, histoire de ne pas éveiller les soupçons en retrouvant les autres qui avaient probablement suivi la dernière période du match, eux.

Félicia me sauta dessus dès mon retour et me coinça dans un coin de la loge.

— Où étais-tu passée ?

— J'étais occupée, répondis-je évasivement, mais mon expression dut me trahir.

— Oh, Abby! Au Super Bowl? Ça ne se fait pas.

Je posai une main apaisante sur son épaule.

— Voyons, Félicia, on devrait interdire d'interdire ce que je viens de faire.

— Un de ces jours, ça va mal se passer.

— Espèce de prude!

— Perverse, va!

Les Giants gagnèrent. À l'issue du match, Jackson se précipita vers le centre du terrain et envoya un baiser dans notre direction, soulevant les acclamations du public.

Seul Nathaniel resta de marbre. Il se contenta de secouer la tête en marmonnant dans sa barbe que son cousin lui devait tout. Moi, je voyais bien qu'il était ravi. De la même façon que j'étais folle de joie pour Félicia.

Nous quittâmes le stade après la remise de la coupe. Nathaniel et Todd échangèrent un regard méfiant avant de se donner une accolade fraternelle.

Il me sembla entendre Nathaniel chuchoter : « Trois semaines », sans être sûre.

Elaina me serra dans ses bras.

— Je t'appelle si j'ai du neuf, promis.

Félicia resterait encore quelques jours à Tampa avec Jackson, mais Nathaniel devait rentrer. Je l'accompagnai donc à l'aéroport. Le trajet du retour fut beaucoup plus calme que l'aller. Nous restâmes sagement assis dans nos fauteuils pendant toute la durée du vol.

— Avons-nous vraiment rendez-vous mercredi à la bibliothèque comme vous l'avez déclaré à Linda, ou étaient-ce des paroles en l'air ?

Apparemment, il n'avait toujours pas compris que je ne lui mentirais jamais.

— Pas du tout. J'espère bien que vous pourrez vous libérer.

Il sourit.

— Oui, c'est noté. Devrais-je faire quelques recherches ?

— Vous avez encore pas mal de lacunes à combler. Si vous vous donnez du mal, je suis certaine que vous pourrez faire mieux que Mark Twain et Jane Austen, la prochaine fois.

— Vraiment ? Et qui me suggéreriez-vous ?

Shakespeare, décrétai-je en me carrant confortablement dans mon fauteuil, les paupières closes.

Je pris rendez-vous pour me faire épiler le mercredi suivant après le travail. J'aurais pu m'en occuper plus tôt, mais je voulais voir si Nathaniel me ferait des remarques à ce sujet lorsque nous nous verrions, plus tôt dans l'après-midi.

Il ne réagit pas.

En tout cas, ce ne fut pas une partie de plaisir. Je souffris le martyre, mais après coup, je trouvai que ce n'était pas si désagréable, au contraire. Je me sentais nette et propre et je pouvais imaginer l'effet sur le sexe. Ce serait encore mieux, si jamais c'était possible.

Je reconsidérai la proposition de Nathaniel d'acheter une voiture. Avec mes propres deniers, bien entendu. Entre-temps, j'avais convaincu Félicia de me prêter la sienne pour le week-end. Elle ne l'utilisait que rarement de toute façon.

Vendredi soir, je me présentai chez lui à dix-huit heures tapantes.

Il désigna mes habits.

— Enlevez-moi ça. Vous les récupérerez dimanche soir.

Je me déshabillai sans me presser. Ce week-end avait occupé mes pensées toute la semaine, exactement comme il l'avait voulu, naturellement. Je me demandais quel effet cela ferait de me balader nue pendant le week-end. Abby la folle était partante et s'évertuait à distraire l'attention de son double, la rationnelle, par de nouvelles réformes fiscales ou d'autres joyeusetés de la sorte.

Je n'avais pas oublié ses propos au sujet du vendredi soir, et lorsque je retirai mon pantalon – *vous voyez, Nathaniel, je ne porte pas de petite culotte* – je compris à son regard qu'il n'avait pas plaisanté au sujet des cinq orgasmes promis. En fait, le premier eut lieu sur-le-champ, par terre, dans l'entrée.

Eh bien, oui, le sexe était meilleur avec le minou épilé. J'avais vu juste.

J'avais du mal à m'habituer à me promener entièrement nue, surtout lorsque je me livrais à des occupations banales, comme cuisiner, par exemple. Le temps passant, je pris de plus en plus d'assurance. La façon dont Nathaniel m'observait, me couvait du regard, me conférait un sentiment de puissance. Là encore, c'était sans doute ce qu'il avait escompté.

Il était assis à la table de la cuisine lorsque je descendis le dimanche matin pour préparer le petit déjeuner.

— Allez vous habiller, fit-il d'un ton sans réplique.

Que se passait-il? J'étais si troublée que je ne lui posai aucune question. Je montai dans ma chambre où je passai un jean et un T-shirt à manches longues avant de descendre le retrouver.

— Asseyez-vous.

Je pris place en face de lui en me demandant pourquoi son visage trahissait une telle... *culpabilité.*

— Ça ne va pas?

— Je suis désolé, fit-il en croisant mon regard. J'ai été négligent. J'aurais dû être plus prévoyant.

— Vous me faites peur. Que se passe-t-il?

Il désigna le jardin.

Oh!

La neige arrivait à mi-hauteur de la fenêtre. Déjà un bon mètre vingt au sol, et elle continuait de tomber.

— J'aurais pu écouter la météo, ou regarder les informations à la télévision...

— Et quelles sont les prévisions? Mauvaises?

Il secoua la tête.

— On ne sait pas. Il pourrait bien s'écouler du temps avant que vous ne puissiez repartir. Je suis navré, j'aurais dû vous renvoyer chez vous hier soir.

J'étais coincée chez lui plusieurs jours, peut-être. À la réflexion, c'était toujours mieux que d'être bloquée chez moi.

— Félicia! *J'avais toujours sa voiture!*

— J'ai téléphoné à Jackson. Il est allé la chercher hier soir. De ce côté, tout va bien.

Tant mieux, j'étais soulagée de la savoir en bonne compagnie plutôt que se morfondant seule dans son appartement.

— Il faut réfléchir à l'organisation de la semaine, reprit-il. J'ai pensé qu'il serait plus facile d'en parler si vous étiez habillée.

Voilà qui expliquait la table de la cuisine. Il voulait mon avis sur la question.

— Nous pourrions préparer les repas à tour de rôle, proposa-t-il, quêtant mon approbation. J'aurai à travailler la plupart du temps, mais je veux que vous vous sentiez chez vous. La maison vous est ouverte, sauf mes deux pièces.

En d'autres termes, je ne dormirais pas dans son lit.

— Le règlement est toujours en vigueur, précisa-t-il. Libre à vous d'utiliser la salle de sport et les DVD de yoga. Vous m'appellerez monsieur, mais vous ne serez plus à mon service, sexuellement parlant. Le sommeil ne devrait pas être un problème. Vous aurez vos huit heures.

Bloquée chez Nathaniel par la neige. Abby la vicieuse était aux anges. Abby la raisonnable se demandait si c'était vraiment une bonne idée.

— Avez-vous des questions?

— Oui. Sur le plan sexuel, vous n'avez pas dit que nous n'aurions pas de relations. Mais pourrions quand même faire l'amour de temps en temps?

— Laissons les choses se faire naturellement, voulez-vous?

Des rapports *naturels* avec Nathaniel? Le rouge aux joues, je sentis des picotements voluptueux envahir mon bas-ventre.

Calme-toi, intervint Abby la raisonnable. *Ne lui montre pas combien cette idée t'excite.*

Idiote, souffla Abby la folle. *Comme s'il ne le savait pas.*

En face de moi, Nathaniel affichait un sourire entendu. Abby la vilaine avait raison.

— J'étais tout à fait naturelle pendant le week-end, remarquai-je sèchement. Pourquoi s'arrêter en si bon chemin?

Il éclata de rire. Ce qui lui arrivait rarement. Peut-être que se retrouver coincés par la neige arrangerait nos affaires, après tout.

— Je dormirai où? demandai-je innocemment.

Il fronça les sourcils.

— Dans votre chambre.

Cela valait quand même la peine d'essayer, non?

— Très bien. Et quand les nouvelles règles entreront-elles en vigueur?

Il jeta un coup d'œil à sa montre.

— Aujourd'hui, à quinze heures. Vous êtes à ma disposition pour les huit prochaines heures, et si vous n'avez pas d'autres questions, je vous veux nue pendant que vous préparez le petit déjeuner.

Erreur, songeai-je en remontant me déshabiller. *Je ne suis pas à vous pour huit heures, je suis à vous pour toujours.*

26

Le naturel ne revint pas au galop, contrairement au dicton. Le dimanche après-midi à quinze heures précises, Nathaniel m'ordonna de monter m'habiller, ajoutant qu'il préparerait le dîner puisque je m'étais chargée du petit déjeuner ainsi que du déjeuner.

Nous mangeâmes à la table de la cuisine en regardant tomber la neige. Cela me faisait bizarre de ne plus être toute nue. Un peu comme si je me déguisais derrière mes vêtements.

J'appelai Félicia après le repas pour vérifier si tout allait bien. Elle eut l'air un peu vexée que je la traite en adolescente, mais j'étais sûre qu'elle appréciait mon coup de fil. Après quoi, je me rendis à la bibliothèque où je passai la soirée seule. Nathaniel ne décolla pas du salon. Nous avions beau être chacun de notre côté, je me sentais à l'aise chez lui, ce qui ne laissait pas de m'étonner.

Lundi matin, à la première heure, je téléphonai à Martha sur son portable pour lui expliquer la situation. Elle m'apprit que la bibliothèque était fermée à cause de la tempête et qu'elle me tiendrait au courant. Ne voulant pas rester à ne rien faire, j'allai m'exercer sur le tapis de course après le petit déjeuner. Je devais lui reconnaître cela – Nathaniel savait ce qu'il faisait en me concoctant un plan d'entraînement. J'en voyais déjà les bienfaits — j'étais plus tonique et au bout de quelques semaines seulement, j'avais minci et me sentais en pleine forme.

Peut-être parce que j'avais passé le week-end dans le plus simple appareil, je ne me changeai pas immédiatement et restai en jogging. Je n'avais pas envie de retourner à la bibliothèque et, pour dépenser mon surplus d'énergie, je décidai de m'attaquer au ménage. Bien sûr, Nathaniel avait quelqu'un pour l'aider, mais je me disais que cette personne ne pourrait pas venir de toute la semaine à cause de la tempête.

J'inspectai un petit local à côté de la cuisine où je trouvai ce que cherchais – un plumeau. Je balayai la pièce du regard. Aucun signe du maître des lieux.

Je gagnai le salon, branchai mon ipod sur le lecteur et montai le volume. Je fis défiler les chansons jusqu'à ce que je trouve celle que Félicia avait téléchargée spécialement pour le ménage. Nous avions découvert que danser en même temps allégeait d'autant le fardeau.

Je tournai, virevoltai et tourbillonnai au rythme de la musique en maniant le plumeau jusqu'aux derniers recoins. Lorsque j'eus terminé, je renversai la tête et me mis à chanter à gorge déployée.

J'examinai la pièce avec un sourire satisfait et me préparai à sortir lorsque je tombai nez à nez avec Nathaniel, debout dans l'embrasure de la porte, une lueur amusée dans les yeux.

Argh !

— Abigaïl! Que faites-vous?

Je jouai avec le plumeau entre mes doigts.

— La poussière, comme vous voyez.

— Je paye une femme de ménage pour cela, vous savez.

— Oui, mais elle ne pourra pas venir cette semaine, n'est-ce pas?

— Je suppose que non. Mais si vous voulez vraiment vous rendre utile, vous pouvez changer et laver les draps de mon lit, ajouta-t-il l'œil rieur. C'est un véritable chantier. Je ne sais pas qui s'est amusé à le mettre dans cet état, ce week-end.

— Vraiment? Quel culot!

Il pivota sur ses talons, s'immobilisa et lança par-dessus son épaule.

— Au fait, je supprime le yoga de votre programme.

Ces paroles résonnèrent comme une douce musique à mes oreilles.

— C'est vrai?

— Oui. Je le remplace par le ménage.

Il prépara une salade au poulet pour le déjeuner.

— Elle n'est pas aussi savoureuse que la vôtre, commenta-t-il en posant mon assiette sur la table de la cuisine, mais on fera avec.

— Vous aimez donc ma salade?

Il prit place en face de moi.

— Vous êtes une excellente cuisinière, je ne vous apprends rien.

— Merci, cela fait du bien de se l'entendre dire quelquefois, répondis-je sur un ton taquin.

— C'est vrai, confirma-t-il avec un sourire entendu.

Je repensai à ses paroles.

Vous n'êtes pas mauvais, vous non plus, m'empressai-je d'ajouter, lui retournant la politesse.

— Merci, vous m'avez déjà complimenté sur mon poulet.

L'atmosphère s'allégea comme si nous avions franchi un pas en appréciant chacun la cuisine de l'autre.

Dans l'intervalle, la neige avait cessé de tomber.

— Je pourrais profiter de l'accalmie et sortir Apollon cet après-midi, suggérai-je entre deux bouchées.

Couché près de son maître, le chien leva le museau en entendant son nom.

Nathaniel réfléchit un moment.

— Bonne idée, il a besoin de prendre l'air, d'autant qu'il s'est pris d'affection pour vous.

— Que lui est-il arrivé, si je puis me permettre de vous poser la question? À Tampa, Elaina semblait dire qu'il était malade.

— Apollon était un chien errant quand je l'ai recueilli, répondit-il en tendant la main pour caresser l'animal. Il est avec moi depuis plus de trois ans. Il a été maltraité lorsqu'il était un chiot et cela l'a rendu agressif. Même s'il a toujours été gentil avec vous. Peut-être a-t-il un sixième sens pour juger les gens?

— Oui, peut-être, mais à quoi Elaina faisait-elle allusion le week-end dernier?

Il se remit à caresser la tête du chien.

— Il devient très craintif lorsque je m'absente un peu trop longtemps. Nous y travaillons.

— Cela a dû être dur au début.

— Oui, mais les résultats en valent la peine.

— Mmm, dis-je en enfournant une bouchée de salade. Les gens qui martyrisent les animaux devraient brûler en enfer.

— Eh bien, Abigaïl, je ne savais pas que vous étiez si féroce.

Je pris le temps de mastiquer quelques feuilles de salade avant de répondre.

— Je ne suis pas particulièrement fan des chiens, à part Apollon bien sûr. Mais si l'on s'en prend à plus faible que soi, je suis capable du pire.

— Ou de meilleur, rétorqua-t-il avec un petit sourire. Je suppose que c'est ce qui m'a décidé à faire don de ma moelle osseuse. Pour aider les plus fragiles.

La moelle osseuse.

— Justement, je me posais la question.

— C'est le dada de ma tante. Elle nous a fait signer un engagement à tous. Pour moi, c'était purement théorique jusqu'à ce que je reçoive un appel. Avais-je le choix ? J'avais en mon pouvoir de sauver une vie. Il n'y avait pas à hésiter.

— Tout le monde ne l'aurait pas fait.

— Je ne pense pas être comme tout le monde.

— Excusez-moi, monsieur, dis-je gênée. Je ne voulais pas dire…

— Je sais… Je plaisantais.

Je fixai mon assiette.

— C'est difficile parfois de savoir si vous me taquinez ou si vous êtes sérieux.

Il souleva mon menton de l'index.

— Peut-être devrais-je porter un écriteau la prochaine fois ? Je préférerais que vous ne baissiez pas les yeux lorsque vous m'adressez la parole. Ils sont si expressifs.

Son regard croisa le mien, et l'espace d'un instant, j'eus l'impression de pouvoir lire ses pensées. J'aurais voulu me noyer dans ces yeux, couleur de l'eau sombre. Jusqu'à y perdre pied et ne plus remonter à la surface.

Il retira sa main et me parla de Kyle – le jeune malade qui avait reçu sa moelle osseuse. Ils avaient noué des liens d'amitié. Il l'emmenait voir des matches de baseball, l'été, et il avait même prévu de l'inviter au Super Bowl.

— Mais il est tombé malade et dans l'impossibilité de venir. Peut-être l'année prochaine.

— D'après Félicia, Jackson envisagerait de prendre sa retraite. Il jouera encore l'an prochain?

Il me considéra avec ce sourire qui avait le don de me faire palpiter le cœur.

— Oui, je crois, mais ce sera probablement sa dernière saison. Il est prêt à se caser. Si Félicia est d'accord bien sûr.

— L'accepterez-vous dans votre famille?

— Pourquoi pas? Surtout qu'elle a la plus merveilleuse amie du monde.

Après le déjeuner, j'enfilai des vêtements chauds trouvés dans ma chambre et sortis me promener avec Apollon. Il ne neigeait plus, mais le vent avait formé des congères d'une hauteur que je n'avais jamais vue depuis que je vivais à New York. Je me dirigeai avec Apollon vers un vaste champ. Ou plutôt, je marchais derrière le chien qui galopait en tête.

Je lui lançai une boule de neige et le regardai courir après en secouant les oreilles d'un air incrédule lorsqu'elle se volatilisa sur le sol. J'éclatai de rire. Apollon aboya en remuant la queue pour en redemander. Je me pris au jeu et recommençai.

— Vous faites tourner mon chien en bourrique, déclara soudain Nathaniel que je n'avais pas entendu arriver.

Je lançai une nouvelle boule de neige et pouffai lorsque l'animal fonça pour la rattraper.

— Il adore ça.

— Je crois surtout qu'il aime jouer avec vous.

Nathaniel se jeta dans la bataille à son tour.

Apollon regarda derrière lui et jappa de plus belle.

Je tentai de ne pas penser au fait que son maître avait prononcé le mot *aime*. Même s'il s'agissait de son chien. Je confectionnai de nouvelles boules et, cette fois, je visai Nathaniel et ratai ma cible.

— Vous m'avez gâché le plaisir, protestai-je. Il ne voudra plus jouer avec moi maintenant.

Il se dirigea vers moi à pas feutrés, comme un chat.

— Oh, oh, Abigaïl, vous venez de commettre une grossière erreur.

Oups.

— Vous ne pourriez pas brandir un écriteau pour me dire si c'est une blague?

— Jamais de la vie, répondit-il en faisant passer une boule de neige d'une main à l'autre.

Je reculai et levai les mains en l'air.

Il continuait son manège sans me quitter des yeux.

— Je vous ai raté.

— Oui, mais vous avez quand même essayé.

Il leva le bras pour me jeter la boule à la figure, mais se ravisa au dernier moment et la lança à Apollon.

N'ayant rien remarqué, je me mis à hurler comme une petite fille effrayée, tournai les talons et détalai. Je trébuchai à cause de mes bottes et tombai les quatre fers en l'air.

Il me tendit sa main gantée.

— Ça va?

— Rien de blessé, sauf mon orgueil.

J'étais couverte de neige et trempée partout. Je me mis à trembler, le corps secoué de frissons. Je saisis sa main et il m'aida à me relever.

La soumise

— On rentre? Vous allez vite prendre quelque chose de chaud au coin du feu?

Feu. Chaleur. Nathaniel.

Que demander de plus?

27

Nathaniel avait tout prévu, comme d'habitude. À notre retour, un grand feu brûlait dans la cheminée de la bibliothèque et je sentis la chaleur s'infiltrer à travers mes habits mouillés. Il monta me chercher des vêtements secs et nous versa à boire pendant que je me changeais.

Je lui jetai un regard interrogateur.

— Qu'est-ce que c'est?

— Du cognac. J'ai d'abord pensé à du café, mais je me suis dit qu'un alcool nous réchaufferait plus vite.

Je fis tourner le liquide ambré dans mon verre.

— Je vois. Vous essayez de m'enivrer?

Il avala une gorgée de cognac.

— En règle générale, je n'*essaye* jamais. Mais celui-ci est à plus de quarante degrés, donc mieux vaut vous limiter à un seul verre.

Le chien vint se coucher à nos pieds devant l'âtre. Son maître lui caressa la tête.

Je commençais à saisir que Nathaniel et moi n'avions pas la même conception de ce que « se réchauffer » voulait dire. Je me demandais aussi si « naturel » signifiait, en langage de dominant, « cela n'arrivera jamais ». J'étais dans le noir. Il n'avait eu pourtant aucun mal à rompre notre accord dans d'autres circonstances – j'en voulais pour preuve ses visites sur mon lieu de travail, le mercredi, et les deux fois où nous avions fait l'amour dans la bibliothèque, *ma* bibliothèque, chez lui, en dérogeant aux règles qu'il avait fixées. Alors pourquoi ne laissait-il pas les choses évoluer spontanément entre nous? Tout se brouillait dans mon esprit. J'aimais le Nathaniel dominant – sa simple présence me faisait défaillir et une seule de ses paroles suffisait à me liquéfier de désir. En même temps, j'étais en train de tomber amoureuse de l'autre facette de sa personnalité, le Nathaniel « normal », celui de tous les jours. Si seulement je pouvais combiner les deux. Mais était-ce seulement possible? L'admettrait-il?

Je me résignais à l'idée que nous n'aurions peut-être pas une partie de jambes en l'air torride devant la cheminée, même si nous nous trouvions dans la bibliothèque. Et à ce propos justement...

— La bibliothèque existait déjà quand vous avez acheté la maison, ou l'avez-vous aménagée plus tard, questionnai-je?

— Je n'ai pas acheté la maison, j'en ai hérité.

— C'était celle de vos parents? Vous avez grandi ici?

— Oui, j'ai effectué d'importantes rénovations. La salle de jeux par exemple.

Je m'avançai vers lui.

— C'était dur de vivre ici?

Il secoua la tête.

— Je le pensais au début, mais j'ai procédé à tellement de transformations que la maison n'a plus rien à voir avec celle de mon enfance. Sauf la bibliothèque, qui est restée quasiment inchangée.

Je promenai un regard sur les rayonnages remplis de livres et avalai une gorgée de cognac qui me réchauffa le sang.

— Vos parents étaient de grands lecteurs?

— Des collectionneurs acharnés, plutôt, et ils voyageaient beaucoup, ajouta-t-il en désignant un rayon garni de cartes et d'atlas. Ils ont ramené beaucoup de ces ouvrages de l'étranger. D'autres étaient dans la famille depuis des générations.

Je pliai les genoux sur ma poitrine et enlaçai mes jambes avec mes bras, surprise de l'entendre évoquer librement ses parents. Je ne voulais pas le mettre mal à l'aise par des questions indiscrètes.

— Ma mère aimait lire elle aussi, surtout des romans populaires, observai-je.

— Il y a une section de littérature populaire dans chaque bibliothèque. Après tout, les best-sellers d'aujourd'hui pourraient bien devenir les classiques de demain.

J'éclatai de rire.

— Personne ne lit les classiques, c'est vous qui l'avez dit.

— Non, c'est Mark Twain. Je peux le citer sans pour autant être d'accord avec lui.

Le cognac commençait à agir, je me sentais réchauffée et détendue. Il avait raison. Il suffisait d'un verre.

— Parlez-moi encore de vos parents, demandai-je prise d'audace, à moins que ce ne soit l'effet de l'alcool.

— L'après-midi de leur mort… nous rentrions du théâtre quand il s'était mis à neiger. Mon père conduisait. Ma mère riait à propos de je ne sais plus quoi. Il n'y avait rien d'anormal. Comme toujours, j'imagine.

Il marqua une pause. Je n'esquissai pas un geste pour ne pas l'interrompre.

— Mon père a fait une embardée pour éviter un chevreuil, reprit-il d'une voix basse. La voiture a dérapé sur un talus et s'est renversée. Enfin, je crois. C'était il y a longtemps et j'essaie de ne pas y penser.

— Vous n'avez pas à me donner des détails si c'est trop douloureux.

— Non, au contraire, cela me fait du bien d'en parler. Todd me conseille souvent de me lâcher davantage.

Les bûches dans la cheminée se consumaient dans une gerbe d'étincelles. Apollon roula sur le dos. Je me demandai si Nathaniel allait poursuivre ou non.

— Mes souvenirs sont assez vagues, dit-il, les yeux fixés sur les flammes. Je me souviens des cris, des appels, quelqu'un m'a demandé si j'allais bien. Et puis il y a eu des gémissements. Des murmures étouffés. Une main s'est tendue vers moi à l'arrière. Et puis plus rien.

Je battis des paupières pour refouler mes larmes, imaginant la scène.

— Je suis vraiment désolée…

— Il a fallu une grue pour dégager la voiture. Mes parents n'étaient plus en vie depuis un moment déjà, mais comme je vous l'ai dit, je ne me rappelle pas très bien.

J'aurais voulu l'accabler de questions. Pendant combien de temps était-il resté coincé dans la voiture ? Avait-il été blessé ? Mais j'étais bouleversée par ses confidences et je ne voulais pas jouer le rôle de voyeur.

— Linda a été fantastique, ajouta-t-il. Je lui dois tout.

Je hochai la tête sans rien dire.

Il sourit.

— Elle m'a toujours soutenu. Et grandir avec Jackson m'a beaucoup aidé aussi. Avec Todd également, et Elaina, quand elle est venue habiter près de chez nous.

J'avais envie de lui tendre la main pour le réconforter, mais ne sachant comment il réagirait, je m'abstins.

— Vous avez une merveilleuse famille.

— Je sais, ils sont même trop bien pour moi, fit-il en se levant. Maintenant, pardonnez-moi, mais j'ai du travail qui m'attend.

— Et moi, je vais préparer le dîner. Laissez, je vais le ramener, ajoutai-je en ramassant son verre vide.

— Merci, dit-il avec un regard appuyé.

Je compris qu'il ne me remerciait pas seulement à cause du verre.

Au cours du dîner, il me questionna sur mes parents. Je lui répondis sans me faire prier. Mon père était entrepreneur en bâtiment, précisai-je. Je ne le quittais pas des yeux pendant que je lui parlais de ma mère, essayant de déceler un signe de reconnaissance, mais soit il n'avait gardé aucun souvenir d'elle ni de la maison, soit c'était un excellent acteur. Il eut l'air surpris lorsque je mentionnai son décès. L'espace d'un instant, je crus qu'il allait ajouter quelque chose, mais il se dépêcha de changer de sujet.

Cette nuit-là, je rêvai de lui au piano. Je savais d'où provenait la musique, et dans mon rêve, je me précipitai à la bibliothèque. Il était bien là, seul avec son piano. En me voyant surgir devant lui, il tendit la main en murmurant « Abby ».

Il s'évanouit avant que je puisse le toucher.

Le mardi suivant, je décidai qu'il me fallait un peu d'action. La neige avait diminué, mais pas en quantité suffisante pour passer la journée dehors. J'allais encore rester cloîtrée à l'intérieur. La veille, j'avais astiqué toute la maison, changé la literie et lavé les draps, de sorte je n'avais plus grand-chose à faire question ménage.

Nathaniel avait confectionné des crêpes pour le petit déjeuner, c'était donc à moi de me charger du déjeuner.

Je décidai de m'y atteler.

Je me rendis à la cuisine et fouillai les placards. Je dénichai ce que je cherchais. Je sortis une planche à découper et quelques poêles avant d'aller trouver Nathaniel qui travaillait à son bureau.

Il leva les yeux à mon entrée.

— Oui?

— Pourriez-vous m'aider à préparer le déjeuner?

— Donnez-moi dix minutes, ça ira?

— Dix minutes? Parfait.

De retour à la cuisine, je me rendis compte que j'avais oublié les oignons. J'ouvris un placard où je pensais les avoir aperçus et m'accroupis pour essayer de mettre la main dessus.

Lorsque Nathaniel me rejoignit un peu plus tard, il me trouva plantée devant le plan de travail, la tête dans les mains, examinant deux boîtes dépourvues d'étiquette.

— Abigaïl?

— Comment se fait-il que quelqu'un comme vous garde des conserves sans étiquette.

— La petite contient des poivrons italiens. La plus grande renferme les cendres de ma dernière esclave trop curieuse qui m'assommait de questions sur des boîtes de conserve sans étiquette.

Je relevai brusquement la tête.

— C'est une blague?

— Oui.

— Sérieusement alors, que font ces boîtes sans étiquette dans vos placards? Est-ce que cela n'enfreint pas une bonne centaine de vos règles?

Il s'empara de la plus grande.

— La petite contient vraiment des poivrons italiens. Il devrait y avoir des tomates de la même marque dans celle-ci. Je les ai commandées sur internet.

— Et les étiquettes?

Il reposa la plus grande boîte, et ramassa l'autre.

— Elles sont arrivées comme cela. Il s'agit probablement de poivrons et de tomates. Je ne les ai jamais renvoyées à l'expéditeur. J'ai hésité à les ouvrir de peur d'y trouver des langues de bœuf sauce piquante, que sais-je? Je n'avais pas totalement confiance, sans doute.

Je lui pris la boîte des mains et l'agitai.

— C'est là toute la question. La confiance. Ce n'est pas parce qu'il y a une étiquette que le contenu correspond aux promesses du contenant. Parfois il faut avoir sacrément la foi pour croire ce qu'indique l'étiquette, c'est moi qui vous le dis. Vous n'avez aucune raison d'avoir peur. Je peux faire des merveilles avec ça.

Il me caressa la joue et je le regardai droit dans les yeux tandis qu'une nouvelle écaille se détachait de la carapace.

— Je n'en doute pas, dit-il en retirant sa main. Pourquoi avez-vous besoin de moi, au fait?

J'ouvris un sachet de riz.

— J'ai décidé de préparer un risotto aux champignons, mais je ne peux pas touiller le riz pendant que je m'occupe des légumes. Pourriez-vous vous en charger?

— Du risotto aux champignons? Mmm… très volontiers.

— Vous devriez peut-être retirer votre pull. Il fait une chaleur d'étuve ici.

Il s'exécuta sans rechigner. Il portait un T-shirt noir dessous.

Oh oui, c'est beaucoup mieux ainsi…

— Je vais émincer les champignons et hacher les oignons, expliquai-je. Vous ferez cuire le riz pendant ce temps.

— Je vous trouve un peu trop directive.

Je lui fis face, les mains sur mes hanches.

— C'est ma cuisine.

Il me poussa contre le plan de travail, m'encerclant de ses bras puissants. Je sentis qu'il bandait à travers son pantalon quand il pressa ses hanches contre les miennes.

— J'ai dit que la table était à vous, nuance. Le reste de la cuisine est à moi.

Allez-vous faire voir…

Il me lâcha, alluma un feu et versa un peu d'huile d'olive extra-vierge dans la poêle.

— Bon alors, ce riz, voyons voir, marmonna-t-il entre ses dents.

Je restai figée un instant, incapable d'esquisser un mouvement. Je me secouai, sortis deux verres du placard et brandis une bouteille de vin blanc, guettant son approbation.

— Oui, c'est parfait, dit-il.

Je remplis les verres avant de m'attaquer aux oignons.

— Êtes-vous prêt? demandai-je, une fois que j'eus terminé, ayant tout autre chose en tête.

— Toujours prêt.

J'abaissai mon regard pour m'assurer que lui non plus ne faisait pas allusion aux oignons. Son érection semblait avoir grossi de deux bons centimètres. Et il était planté là, en train de remuer le riz.

Le pauvre!

Je me glissai sous son bras pour ajouter les oignons dans la poêle.

— Voilà, dis-je en frottant délibérément mes fesses contre son entrejambe.

J'aurais dû m'occuper des champignons, mais avant, je décidai de m'amuser un peu. À un jeu très vilain.

— Je vous passe le bouillon de poule? proposai-je innocemment.

Je me contorsionnai pour attraper le récipient sous son bras et en verser un peu dans la poêle, effleurant son biceps au passage.

Des gouttes de sueur perlaient à son front, et il but une gorgée de vin.

Mon plan marchait à merveille.

Je retournai à mes champignons que je commençai à émincer en rondelles dont je fis un petit tas bien net tout en sirotant mon vin.

Un champignon tomba *par inadvertance* sur le sol et atterrit aux pieds de Nathaniel, toujours coincé à ses fourneaux.

— Oh! Laissez, je vais ramasser.

Je m'approchai et me faufilai entre la cuisinière et son corps athlétique, notant que son petit problème ne s'arrangeait pas vraiment au fil des minutes. Je ramassai le légume, m'agrippant à sa taille pour me redresser en frôlant de nouveau *accidentellement* son entrejambe.

Que voulez-vous? On est si maladroit parfois.

Voyant qu'il était très concentré sur sa tâche, je préférai garder le silence. De toute façon, les paroles étaient inutiles, n'est-ce pas?

J'ouvris le four et y déposai les blancs de poulet. Ils seraient prêts en même temps que le risotto, si tout se déroulait comme prévu. Je lui passai les champignons et avalai une autre gorgée de vin, le dos au comptoir. J'avais terminé et n'avais rien de mieux à faire qu'à admirer le jeu de ses muscles puissants sous son T-shirt.

Il faisait vraiment une chaleur d'enfer dans la cuisine. J'enlevai mon pull à mon tour. Je ne portais qu'un petit haut blanc en dessous. Le riz était presque prêt. J'avisai un fond de bouillon dans le bol, posé à côté de la poêle. Je me glissai de nouveau dans l'espace entre Nathaniel et la cuisinière pour m'en emparer.

— J'en rajoute? dis-je.

— Oui, juste un peu.

J'en déposai un filet dans la poêle, mais quelques gouttes éclaboussèrent mon corsage blanc. Et j'avais oublié mon soutien-gorge!

Je me tournai vers l'évier pour retirer mon petit haut.

— Oh, je vais vite nettoyer la tache avant qu'elle s'incruste. Sinon, j'aurai un problème pour l'enlever.

Soudain, le four s'éteignit en même temps que le fourneau. J'entendis un bruit de casserole et le léger grincement de la porte du four qui s'ouvrait.

Deux secondes plus tard, Nathaniel m'attrapa par la taille et me fit pivoter vers lui.

— J'ai un problème plus sérieux à régler, déclara-t-il.

J'abaissai mes regards sous sa ceinture. Effectivement, son jean devait le serrer aux entournures.

Il me souleva de terre et me déposa sur le comptoir près du four en repoussant pêle-mêle la planche et les conserves. Quelque chose s'écrasa sur le sol.

Il s'escrima avec le bouton de mon pantalon qu'il m'arracha sans ménagement, me faisant presque tomber de mon perchoir dans sa précipitation. Ses yeux s'assombrirent car… je ne portais rien dessous. Une fois de plus.

Il se débarrassa hâtivement de son jean et je vis son sexe dressé dans toute sa splendeur.

Il se pencha vers moi et je nouai les jambes autour de sa taille.

— C'est cela que vous voulez?

Je promenai mes mains sous sa chemise pour sentir le contact de sa peau.

— Oui.

Il prit mes seins en coupe faisant rouler mes tétons entre ses doigts.

— S'il vous plaît, suppliai-je en me collant comme une sangsue contre lui. Maintenant, je vous en prie.

C'était à son tour de jouer avec mes nerfs. Il prit tout son temps, faisant glisser ses mains le long de mon corps jusqu'à mes jambes qu'il caressa lentement, avant de remonter sans se presser.

— Je ne voulais pas… je ne pensais pas…, bredouilla-t-il.

Pour le faire taire, je lui mordillai la nuque, redessinant sa mâchoire de la langue avant de remonter à son oreille.

— Vous pensez trop, murmurai-je.

Il n'attendait que ça. Il empoigna mes jambes et me pénétra d'une poussée fluide. Deux jours d'abstinence m'avaient paru une éternité. Je gémis lorsqu'il s'enfonça plus loin en moi.

— Oh, oui, oui! m'exclamai-je en me contractant pour mieux l'attirer. Non, encore, s'il vous plaît, suppliai-je lorsqu'il se retira.

En réponse, il se fraya un chemin d'un coup de reins si vigoureux que je me cognai à un placard accroché au-dessus de ma tête. Je n'en avais cure.

— Plus fort, plus vite, je vous en prie…

Il enroba mes fesses à deux mains et m'empala complètement sur lui. Je poussai un cri lorsque son gland s'enfonça au fond de mon vagin. Ma fièvre grimpa d'un cran et je me remis à lui butiner l'oreille.

— Encore… balbutiai-je, éperdue. Encore…

Ce fut un combat sans merci, chacun mordant, griffant, tandis qu'il me défonçait de ses coups de boutoir. Mue par une faim insatiable, le corps fiévreux et tremblant, j'enfonçai mes talons dans ses fesses. J'en voulais toujours plus. Que ce moment dure le plus longtemps possible.

— Oui, c'est ça… ! m'écriai-je lorsqu'une nouvelle ruade vint titiller délicieusement mon point secret.

Je geignis doucement tandis qu'il m'entraînait plus haut, encore plus haut. Ses doigts se faufilèrent entre nos deux corps pour encercler mon clitoris. Le plaisir enflait inexorablement, sa queue palpitant au fond moi.

— Encore, soufflai-je. Je vais jouir…

Ses doigts s'activèrent plus fort tandis que sa bite me martelait sans répit.

Je sentis une chaleur fulgurante monter dans mon ventre et mon sexe se contracter presque douloureusement.

Un dernier va-et-vient frénétique m'envoya au septième ciel tandis qu'il plantait ses dents dans mon cou et jouissait à son tour.

— Oh, c'était… murmura-t-il quand il eut recouvré son souffle.

J'acquiesçai.

— Entièrement d'accord…

Il me releva et s'assura que je tenais sur mes pieds avant d'aller chercher une serviette pour m'essuyer.

— Ça valait bien tous les risottos du monde, non?

28

Nathaniel préparait le dîner. D'habitude, lorsque c'était à son tour, je m'installai au salon ou dans la bibliothèque, mais ce soir-là, mue par une impulsion, je décidai de lui tenir compagnie à la cuisine. Je dégustai un verre de vin rouge pendant qu'il s'affairait, en profitant de la vue, si l'on peut dire.

J'avisai la grande boîte de conserve sans étiquette posée sur le comptoir et devinai qu'il s'apprêtait à préparer une sauce *marinara*. Il saisit un ouvre-boîtes et je m'approchai pour jeter un coup d'œil par-dessus son épaule.

— Je me contente de regarder, dis-je.

Il sourit, ouvrit la boîte et souleva le couvercle d'un doigt hésitant. Je retins mon souffle.

— Des tomates ! m'exclamai-je. Dommage, je m'attendais à de la langue marinée ou des restes humains compromettants.

— C'est plutôt décevant, non ? fit-il en piquant une tomate à l'aide d'une fourchette.

— Pas vraiment. Au moins, maintenant nous savons à quoi nous en tenir.

— C'est vrai. Et cela va constituer un délicieux dîner.

Il versa les tomates dans une poêle où mijotaient des oignons et de l'ail.

Je me haussai sur la pointe des pieds afin de mieux voir et inspirai une grande bouffée d'air. Pas tant pour sentir les effluves épicés que pour respirer son odeur. Un léger parfum de musc et une pointe de cèdre. Mmm…

— Allez-vous asseoir, m'enjoignit-il. J'aimerais bien manger chaud pour une fois.

— Le petit déjeuner était chaud. Et le déjeuner aussi, enfin la partie avant le repas.

— Abigaïl !

— Bon, d'accord, j'y vais, maugréai-je en retournant à ma place. Vous avez remporté une petite victoire aujourd'hui, vous savez ? ajoutai-je en sirotant mon vin.

Il haussa les épaules.

— Ah bon ?

— Oui, en ouvrant une de vos conserves sans étiquette. Ça se fête.

Il se détendit.

— À quoi pensez-vous ?

— À un pique-nique entièrement nus dans la bibliothèque.

Il mit de l'eau à chauffer dans une grande casserole.

— C'est cela que vous appelez une fête ?

Je plissai le front en essayant de garder mon sérieux.

— Exactement. Et j'aurais dû cuire du pain pour le dîner.

— Vous en avez assez fait pour aujourd'hui, je trouve. Bon, d'accord, rendez-vous à la bibliothèque dans le plus simple appareil d'ici une demi-heure, conclut-il avec un gros soupir, comme si je lui arrachais une concession douloureuse.

— Je m'occupe des préparatifs, dis-je en me levant.

— Il y a des couvertures dans l'armoire à linge, lança-t-il tandis que je gagnai la porte.

Vingt minutes plus tard, j'avais étalé plusieurs couvertures sur le sol de la bibliothèque et allumé un feu dans la cheminée. Quatre gros coussins complétaient le décor de mon pique-nique improvisé.

Je regardai l'heure. Encore dix minutes. Je me déshabillai en quatrième vitesse et empilai mes vêtements sur l'un des fauteuils.

Nathaniel arriva avec le plateau du dîner. En tenue d'Adam.

— Puis-je vous aider? demandai-je tout émoustillée par ce spectacle alléchant.

— Non, merci. Je pose ça et je vais chercher à boire. Encore un peu de vin?

— Oui, s'il vous plaît.

Il revint avec deux verres et une bouteille de rouge. Je me demandai s'il avait une cave et me promis de vérifier ce point plus tard.

Les pâtes *alla marinara* étaient un délice. Normal venant de lui.

— C'est très bon, le congratulai-je après quelques bouchées. Mes compliments au chef.

— Aux boîtes de conserve sans étiquette! clama-t-il en levant sa fourchette.

Je fis chorus. Quand j'enroulai les spaghettis autour de ma fourchette, un peu de sauce gicla et atterrit sur la...euh... de Nathaniel.

Il me jeta un regard incrédule.

— Vous avez envoyé de la sauce sur ma bite.

— Toutes mes excuses.

— Enlevez-moi ça tout de suite.

J'étais certaine qu'il ne plaisantait pas. Je me penchai pour le débarrasser de son assiette.

— Allongez-vous.

— Abigaïl…

Je le pris par les épaules pour le faire basculer.

— Dois-je utiliser une serviette?

Il ne dit mot, ce que j'interprétai comme un refus, et posa la tête sur un coussin. Je laissai courir paresseusement mes mains sur son torse.

— La sauce, Abigaïl!

Mes doigts effleurèrent ses tétons.

— J'arrive.

— Plus vite.

Je léchai son torse, mordillai délicatement la peau de son ventre plat, lui arrachant une exclamation voluptueuse. C'était encore meilleur que la sauce *marinara*. Même préparée à base de conserve sans étiquette.

Je me hasardai plus bas et soufflai mon haleine tiède sur son gland pour le sentir frémir sous mes lèvres.

Je léchai la sauce avec gourmandise. C'était si délectable que je décidai de ne pas m'arrêter en si bon chemin. J'enroulai ma langue autour de sa queue pour le taquiner. De temps à autre, j'engloutissais tout son nœud, faisant coulisser mes mains sur toute sa longueur, empoignant sa bite comme s'il s'agissait d'une sucette pour en lécher délicatement le bout. Une ou deux gouttes de sève perlèrent à son extrémité que je cueillis goulûment d'un coup de langue.

Il lâcha un grognement étouffé.

— Voulez-vous que j'arrête? dis-je, même si je n'étais pas sûre d'en être capable.

— Certainement pas. Levez vos jambes. Je veux goûter à votre délicieuse chatte.

Je pivotai dans la position d'un soixante-neuf.

Il enroula ses bras autour de mes cuisses et me plaqua contre lui, puis il insinua sa langue dans ma fente et se mit à me lécher avec application en terminant par mon clitoris.

— Mmm… meilleur qu'un grand cru, murmura-t-il avant de recommencer de bas en haut et vice versa. Je vais vous boire jusqu'à la dernière goutte.

Je n'étais pas en reste, je l'avalai le plus profondément possible – le jeu pouvait se jouer à deux – et l'aspirai avidement.

Il insuffla son rythme, calquant ses coups de langue et ses succions sur les miens. Je massais sa queue au plus profond de ma gorge, tandis qu'il me pénétrait de sa langue. Mes dents butinaient sa hampe et il broutait mon clitoris en cadence.

Mon bassin commença à onduler, comme s'il était doué d'une volonté propre, pendant qu'il précipitait le mouvement, allant et venant dans ma bouche avec vigueur.

Soudés l'un à l'autre, nous roulâmes sur le côté en maintenant le rythme. Il me baisait la bouche avec sa bite en même temps qu'il affolait ma chatte à coups de langue.

Il y insinua trois doigts sans que sa langue habile cesse de prodiguer ses caresses à mon clitoris. J'attrapai ses couilles à pleines mains et promenai un doigt entre ses bourses et la raie de ses fesses. Sa bite palpita dans ma bouche et il accéléra ses va-et-vient, doublant la cadence avec ses doigts.

Une fois son gland enfoui au fond de ma gorge, il happa mon clitoris entre ses lèvres. Il s'activait en moi avec une ardeur renouvelée, me faisant osciller au bord de l'orgasme.

Je sentis des vibrations se propager dans mon bas-ventre, et je rejetai la tête en arrière pour accompagner ses ruades et l'inciter à me rejoindre. Je geignis, incapable de me contrôler.

C'était trop intense d'avoir sa verge dans ma bouche, tandis que sa langue me masturbait. J'explosai, le corps secoué de tremblements. Il butina mon clitoris et un second orgasme me submergea pendant qu'il coulissait dans ma gorge avant de jouir à son tour en jets puissants. J'avalais avec frénésie pour ne pas en perdre une goutte.

Il me serra contre sa poitrine et je nichai ma tête dans le creux de son cou.

— Le dîner a refroidi, constatai-je, blottie dans ses bras.

— Ah oui, et alors ?

Nous achevâmes notre repas interrompu, paresseusement allongés sur les coussins, parfaitement détendus.

J'avalai mes pâtes figées dans mon assiette. Ce n'était pas mauvais.

— Depuis quand jouez-vous les dominateurs ? questionnai-je.

Il enroula les spaghettis autour de sa fourchette.

— Environ dix ans.

— Avez-vous connu beaucoup de soumises ?

— Tout dépend de ce que vous entendez par « beaucoup ».

Je levai les yeux au ciel.

— Vous savez ce que je veux dire.

Il se redressa et reposa sa fourchette.

— J'accepte d'avoir cette conversation parce que nous nous trouvons dans la bibliothèque. Mais dites-vous bien que je ne suis pas obligé de vous répondre.

J'avalais une bouchée de pâtes.

— C'est noté.

— Très bien, je vous écoute.

— Avez-vous déjà joué le rôle du soumis ?

Il hocha la tête.

— Oui, une ou deux fois.

Intéressant. Je gardai l'information dans un coin de mon esprit pour y réfléchir plus tard.

— L'une de vos soumises a-t-elle prononcé son mot secret?

Il me dévisagea attentivement avant de répondre.

— Non.

— Jamais?

— Jamais, Abigaïl.

Je fixai mon assiette.

— Regardez-moi, reprit-il du ton autoritaire qu'il adoptait le week-end. Je sais que vous êtes néophyte dans ce domaine, mais j'aimerais que vous me répondiez franchement. Vous ai-je jamais forcée à faire quelque chose que vous ne vouliez pas?

— Non, répondis-je avec sincérité.

— Je me suis montré doux, patient et attentionné, n'est-ce pas? J'ai anticipé tous vos désirs?

— Oui.

— Ne pensez-vous pas que j'ai agi de même avec celles qui vous ont précédée et que je me suis toujours efforcé de satisfaire leurs besoins?

Naturellement.

— Oh!

Il promena un doigt le long de mon bras.

— Je marche sur des œufs avec vous parce que j'envisage une relation dans la durée, mais il y a tant de choses que nous pourrions faire ensemble. Vous n'avez pas idée des prouesses dont votre corps est capable. Vous devez me faire confiance, comme il convient que j'apprenne à mieux connaître votre corps.

J'étais dans un état second, sur le point de défaillir.

Sa caresse se fit plus insistante.

— Je dois savoir mesurer vos limites, c'est pour cela que j'y vais doucement. Mais il y a encore tellement de zones à explorer. Et je veux toutes les parcourir. Ai-je répondu à votre question? s'enquit-il en laissant retomber sa main.

Je voulais toutes les explorer moi aussi.

— Oui, répondis-je.

— Avez-vous d'autres questions?

— Si vos ex-conquêtes n'ont jamais prononcé leur code secret, pourquoi vous êtes-vous séparés?

— Comme toujours. Nous nous sommes éloignés l'un de l'autre et avons fini par suivre des chemins différents.

Bon, admettons.

— Avez-vous eu une relation amoureuse avec une femme qui n'était pas votre esclave sexuelle?

Il s'agita sur les coussins.

— Oui.

Faisait-il allusion à Mélanie?

— Comment cela s'est-il passé?

Il fronça les sourcils.

— Écoutez, c'est vous qui êtes là avec moi, ici et maintenant. S'agit-il d'une question rhétorique?

Apparemment, cela avait mal fini, mais j'insistai.

— Mélanie?

— Elaina vous en a parlé?

J'étais piégée.

— Elle s'est contentée de me dire qu'elle n'a jamais été votre soumise.

Il lâcha un soupir exaspéré.

— Le passé est le passé. Mes relations avec Mélanie ne vous concernent pas.

Je jouais avec la nourriture dans mon assiette, sans trop savoir sur quel pied danser.

— Abigaïl, reprit-il. Si je voulais être avec Mélanie, je ne serais pas avec vous en ce moment.

Mon regard s'attarda sur son corps magnifique.

— Avez-vous pique-niqué tout nu avec elle?

— Non, jamais, répondit-il avec un sourire.

Cette réponse me réconforta, allez savoir pourquoi.

29

Je me réveillai le mercredi matin avec l'idée stupide de regarder par la fenêtre. C'était idiot de vérifier s'il y avait encore de la neige, mais c'est néanmoins ce que je fis. J'ouvris les rideaux, et bien sûr, elle n'avait pas disparu, même si la couche était peut-être un peu moins épaisse que la veille. Et toujours pas de chasse-neige à l'horizon.

Je refermai les rideaux. Je ne rentrerais pas chez moi aujourd'hui. Demain alors ? À quoi bon, si je devais revenir vendredi ? Autant rester là jusqu'à la fin de la semaine. D'ailleurs, Martha m'avait envoyé un texto m'informant que la bibliothèque ne rouvrirait pas avant le lundi suivant.

Nathaniel n'y verrait probablement pas d'inconvénient. Je décidai toutefois de lui poser la question plus tard, et après une douche rapide, je descendis préparer le petit déjeuner. Une fois la cafetière branchée, je m'occupai du bacon et des œufs. Je chauffai la poêle et exécutai un rapide pas de deux sur l'air qui me trottait dans la tête.

Nathaniel entra sur ces entrefaites et s'adossa au comptoir de la cuisine.

Je lui dirai qu'elle est aussi riante, aussi sereine que la rose du matin rafraîchie par la rosée, récita-t-il.

Shakespeare?

Non, il n'avait pas osé.

Il souriait de toutes ses dents.

Eh bien si, il l'avait fait.

Je retournai le bacon dans la poêle.

Vous avez la sorcellerie à vos lèvres, dis-je.

Il éclata de rire. Il avait l'air de beaucoup s'amuser.

Le monde entier est un théâtre, et les hommes et les femmes ne sont que des acteurs.

Bon, il avait potassé son Shakespeare. Je pouvais quand même le battre sur ce terrain.

La vie n'est qu'une ombre qui marche; elle ressemble à un comédien
qui se pavane et s'agite sur le théâtre une heure;
après quoi il n'en est plus question.

Il se dirigea vers le four, une main sur son cœur, l'autre tendue vers la fenêtre ouverte.

Mais doucement! Quelle lumière jaillit par cette fenêtre?
Voilà l'Orient, et Juliette est le soleil!
Lève-toi, belle aurore, et tue la lune jalouse,
Qui déjà languit et pâlit de douleur
Parce que toi, sa prêtresse, tu es plus belle qu'elle-même!

Je pouffai. J'étais fan de Shakespeare. Et personne ne m'avait encore jamais déclamé la tirade de Roméo et Juliette.

Mieux valait ne pas lui montrer à quel point j'étais émue, même si cela se voyait comme le nez au milieu de la figure.

Les ânes sont faits pour porter et vous aussi, rétorquai-je.

Les femmes sont faites pour porter, et vous aussi, contra-t-il.

Pas possible, il connaissait le vers suivant!

Je n'en ai pas d'autre qu'une raison de femme. Je le trouve le plus aimable, parce que je le trouve le plus aimable, citai-je à mon tour.

Il éclata d'un rire joyeux.

Oh scélérate, scélérate, scélérate souriante et damnée.

Je le regardai, l'air faussement choqué.

— Vous me traitez de scélérate.

— Vous m'avez bien appelé âne.

Je ne trouvai rien à répondre.

— Match nul?

— Pour cette fois, mais notez que je suis en train de rattraper le terrain perdu.

— D'accord. À propos, pourrais-je utiliser votre salle de sport? J'aimerais m'entraîner sur le tapis roulant.

Il subtilisa une tranche de bacon dans l'assiette

— Ça tombe bien, moi aussi. J'ai deux tapis. On pourrait courir ensemble.

Sans doute le seul moyen de rendre le jogging amusant.

Après le petit déjeuner, je me changeai et me rendis au gymnase. Il s'y trouvait déjà et faisait des étirements au milieu de la salle. Je copiai ses mouvements en veillant particulièrement à assouplir les jambes. Il pourrait changer de carrière et devenir coach sportif, s'il le voulait. Ou chef étoilé. Ou encore professeur de littérature. Bref, une foule de choses.

Une fois sur le tapis, il s'appliqua à suivre mon rythme, ce qui était très délicat de sa part, vu que je n'aurais jamais pu adopter le sien. L'espace d'un instant, je songeai au printemps, me voyant déjà courir dehors avec Nathaniel et son chien. Il avait évoqué une relation à long terme, non?

Je laissai mon esprit vagabonder. J'imaginais passer le printemps avec lui. Accepterait-il de s'entraîner avec moi le week-end? J'espérais que oui. Ou était-ce un vœu pieux?

Cette semaine passée ensemble nous avait rapprochés. J'avais réussi à percer quelque peu la carapace qu'il s'était forgée, ce qui était déjà un progrès.

En parlant de progrès, je me demandais où en était Félicia. Nous n'étions jamais restées aussi longtemps séparées. Comment vivait-elle la tempête, enfermée en compagnie de Jackson? Était-elle encore plus amoureuse qu'avant, si c'était possible?

De fil en aiguille, je songeai à Linda et à notre déjeuner prévu la veille. Peut-être pourrions-nous le reporter à la semaine suivante?

Puis mes pensées errèrent sur la dispute entre Nathaniel et Todd à Tampa. J'aurais pu l'interroger à ce sujet pendant notre pique-nique de l'autre soir. Pas la peine de regretter, il ne m'aurait sans doute pas répondu.

— Ça va, Abigaïl? demanda-t-il, sans montrer aucun signe essoufflement.

Je tournai vivement la tête.

— Très bien. Mon esprit divague quand je cours, c'est tout.

J'aurais dû me concentrer sur le superbe athlète qui transpirait à ma droite. À quoi bon penser au printemps quand j'avais la chance d'être bloquée avec lui à cause de la neige au mois de février?

Je retournai à la cuisine en fin d'après-midi, indécise sur le menu du dîner. Du poisson peut-être? Des crevettes?

J'essayai de me rappeler s'il y en avait au congélateur. Peut-être des pommes de terre rôties en garniture? Quelque chose de simple. Mon regard s'attarda sur les placards du haut que je n'avais pas encore eu le temps d'inspecter.

Je montai sur une chaise en tanguant un peu et me retint à une étagère pour ne pas tomber. Pas question de me casser quelque chose, vu qu'il serait impossible de me rendre à l'hôpital par ce temps. Je repris l'équilibre et jetai un coup d'œil à l'intérieur.

Encore des boîtes de conserve. Avec des étiquettes, cette fois. J'étais en train de les passer en revue pour voir ce qui pourrait accompagner le poisson, lorsque mon regard tomba sur une grande boîte tout au fond.

Je tendis le bras par-dessus les conserves et en déplaçai quelques-unes pour la tirer vers moi.

Je la contemplai, incrédule.

Des barres de chocolat?

Nathaniel conservait une grande boîte remplie de barres chocolatées dans son placard? Je ne l'avais vu prendre un dessert qu'au gala de charité et aux repas de famille, pendant le Super Bowl. Et dire qu'il avait une boîte pleine de friandises dans sa cuisine? Entamée qui plus est.

Quelle occasion en or.

Un plan germa dans mon esprit.

On allait bien s'amuser.

30

Je me rendis à la bibliothèque, la boîte de chocolats dissimulée derrière mon dos. Assis au bureau, Nathaniel compulsait des papiers.

Ce qui allait suivre pourrait finir très bien... ou très mal.

— Nathaniel West !

Il releva brusquement la tête en m'entendant prononcer son nom. Je réalisai que même si je pensais à lui ainsi, je ne l'avais jamais appelé par son prénom, en tout cas pas directement.

Il fronça les sourcils.

— J'attends vos excuses pour cet impair, Abigaïl.

Je rassemblai mon courage et brandis les friandises en espérant qu'il devinerait ce que j'étais en train de faire.

— Non, il n'est pas question d'excuses. C'est quoi, ça, pouvez-vous me le dire ?

Il reposa les papiers sur le bureau et me dévisagea attentivement.

Oh, Seigneur. Il est en colère. Très en colère.

Il ne comprenait rien.

Ou alors si, mais cela ne l'amusait pas.

Mais alors pas du tout.

Il se leva.

— Du chocolat, Abigaïl. C'est écrit sur la boîte.

Aïe Aïe Aïe. Il y avait de fortes chances pour que cette histoire tourne mal.

— Je sais, Nathaniel. Mais qu'est-ce qu'elle fait dans votre cuisine? Voilà ce que j'aimerais savoir.

Il croisa les bras.

— Et en quoi cela vous concerne-t-il? demanda-t-il sur un ton signifiant que j'allais en prendre pour mon grade.

Mes fesses me brûlaient à la simple pensée de la correction qu'il allait m'administrer, même si ce n'était pas le week-end. Pourtant, j'agitai la boîte devant son nez sans me décourager.

— Ça me concerne parce qu'elle ne figure pas dans votre régime alimentaire.

Il battit des paupières.

Une étincelle de compréhension s'alluma dans ses yeux.

J'avançai d'un pas.

— J'ai autre chose à faire que perdre mon temps à planifier vos repas, ne croyez-vous pas? Répondez-moi.

Il décroisa vivement les bras.

— Si, maîtresse.

Maîtresse. Il avait compris. Il coopérait.

Je poussai un soupir faussement excédé.

— J'avais des projets pour aujourd'hui, au lieu de quoi, nous resterons à la maison. Vous méritez une punition.

Son regard s'assombrit.

— Je suis navré de vous avoir contrarié, maîtresse, dit-il d'une voix basse et sensuelle.

— Vous serez encore plus navré lorsque j'en aurai fini avec vous. Je monte dans ma chambre. Vous avez dix minutes pour m'y rejoindre.

Je tournai les talons et me précipitai à l'étage. J'ôtai prestement ma robe et passai le déshabillé couleur argent qui lui plaisait tant. Après quoi, j'attendis au pied de mon lit.

Il entra à pas lents.

Je croisai les bras et tapai du pied.

— Qu'avez-vous à dire pour votre défense, Nathaniel?

Il baissa la tête.

— Rien, maîtresse.

Regardez-moi. Je ne suis pas une maîtresse, je suis une déesse. Et j'ai bien l'intention d'être adorée, ajoutai-je en laissant glisser la nuisette le long de mes épaules.

Il resta immobile pendant quelques secondes. Puis quelque chose se déclencha en lui. Il se rua sur moi, me souleva de terre et m'attira sur ses genoux, sur le lit étroit.

Ses yeux me cherchèrent. Un million de questions muettes se lisaient dans son regard. Il prit mon visage dans ses mains.

— Abby…, murmura-t-il. Oh, Abby…

Mon cœur fondit. *Abby*, il m'avait appelée *Abby*.

Ses yeux s'attardèrent sur ma bouche qu'il se mit à caresser du pouce.

Un baiser de désir…, commença-t-il.

Sur les lèvres, achevai-je dans un souffle.

Ses doigts tremblaient. Il s'inclina vers moi et je clignai plusieurs fois des yeux à mesure que l'écart se réduisait entre nous. Sa poitrine se soulevait à un rythme effréné. Ses lèvres se posèrent sur les miennes.

Un murmure, un baiser papillon, mais je sentis comme une décharge électrique me traverser le corps. Puis ses lèvres douces et tendres reprirent possession des miennes.

Il avait beau savoir un tas de choses et avoir raison la plupart du temps, là, il se fourvoyait royalement. Embrasser sur la bouche n'était pas inutile ; c'était même la chose la plus nécessaire au monde. Encore plus indispensable peut-être que l'air qu'on respire.

Il soupira – la défaite du guerrier après une âpre bataille. Puis il reprit mon visage entre ses mains en coupe et m'embrassa de nouveau. Plus longuement. Sa langue redessina le contour de mes lèvres. Quand je les entrouvris, il s'y glissa lentement, comme pour mémoriser la sensation, la saveur de ma bouche. Une telle douceur me donnait envie de pleurer.

J'enfouis mes mains dans ses cheveux et l'attirai contre moi, comme si je ne devais jamais le laisser partir. Il gémit et nos langues s'enlacèrent dans un baiser plus profond encore.

Il s'écarta pour ôter son pantalon sans me quitter des yeux.

Je lui ouvris les bras.

— Aime-moi, Nathaniel.

Il resserra son étreinte autour de moi.

— Je t'ai toujours aimée, Abby. Toujours.

Il m'allongea ensuite sur le lit et reprit mes lèvres dans un baiser avide, exigeant, encore plus ensorcelant que dans mes fantasmes. Ses lèvres étaient douces et fermes à la fois quand sa langue s'empara de la mienne avec une passion, une gourmandise qui attisèrent mon désir.

Il n'y avait plus de dominant ni de soumise, plus de maître ni d'esclave, nous n'étions même plus un homme et une femme, mais deux amants. Enfin, il entra en moi lentement avec une douceur, une tendresse infinie.

La soumise

Je ne l'aurais pas juré, mais quelques secondes avant qu'il ne s'abandonne, je crus voir une larme perler de ses yeux.

31

C'était la première nuit que je passais avec Nathaniel. À cause de l'étroitesse du lit, j'étais serrée contre lui, la tête au creux de son épaule. J'aurais pu dormir n'importe comment et n'importe où, cela m'aurait été égal du moment que j'étais avec lui. Ses bras étaient un paradis que je ne voulais plus jamais quitter.

Je ne fus pas vraiment étonnée de me retrouver seule au réveil. Nathaniel n'était pas un grand dormeur, je le savais. Mais j'étais tout de même un peu déçue. Cette nuit aurait pu s'achever en apothéose si j'avais pu me réveiller dans ses bras au matin.

Je sautai du lit et m'habillai en vitesse. Ce jour-là, nous devions redéfinir les modalités de notre relation. Comment trouver un équilibre entre le Nathaniel dominant et celui du quotidien ? Je ne doutais pas que nous finirions par parvenir à un compromis satisfaisant.

Je glissai un œil dans sa chambre. Personne! La bibliothèque était déserte, le feu éteint dans la cheminée. Aucun bruit dans la salle de musculation. J'allai voir à la cuisine. La cafetière était branchée, mais aucune trace de Nathaniel, même si j'avais la preuve qu'il était passé par là récemment.

À qui était-ce le tour de préparer le petit déjeuner? J'étais de corvée la veille au soir, mais nous avions oublié le dîner. Je songeai à sa bouche qui s'accordait si parfaitement à la mienne…

Concentre-toi, me rappela la partie rationnelle de mon cerveau.

Ah oui, le petit déjeuner.

Finalement, je décidai de m'y coller. Après tout, j'avais sauté mon tour hier soir. Nous pourrions ensuite sortir au jardin. Faire une bataille de boules de neige. Jouer aux citations.

S'embrasser…

Mais où était-il passé?

Je passai la tête dans l'entrebâillement de la salle à manger.

Et là, ô surprise, je le découvris occupé à lire le journal.

Comment l'appeler? Nathaniel était un peu trop familier dans ce décor.

Mieux valait s'abstenir et se contenter d'un simple « bonjour ».

Ce que je fis.

Il leva les yeux. Il ne souriait pas.

— Ah, vous voilà. J'étais justement en train de me dire que vous pourriez repartir aujourd'hui.

— Pardon?

Il posa son journal sur la table.

— Les routes sont dégagées. Vous n'aurez aucun problème pour rentrer chez vous.

Complètement décontenancée, je ne savais quoi dire. Tout basculait. Pourquoi me demandait-il de rentrer chez moi? Comment pouvait-il même y penser après la nuit que nous venions de passer ensemble?

— Mais pour quoi faire puisque je reviens demain soir?

Il me lança un regard vitreux.

— À ce propos, je pense passer une grande partie du week-end au bureau pour rattraper le retard dû à la tempête. Il vaudrait mieux que vous ne veniez pas ce week-end.

Que je ne vienne pas?

— Vous repasserez bien chez vous à un moment ou un autre, non?

— Je ne pense pas… Abigaïl.

Abigaïl.

Mon cœur chavira. Quelque chose ne collait pas.

— Comment m'avez-vous appelée?

Il resta impassible. On aurait dit qu'il ne bougeait plus. À croire qu'il s'était transformé en statue.

— Abigaïl, comme d'habitude.

— La nuit dernière, c'était Abby.

Il cligna des yeux, comme s'il secouait cette espèce de torpeur dans lequel il était plongé.

— Cela faisait partie de la mise en scène.

De quoi parlait-il? Quelle mise en scène?

— Que voulez-vous dire?

— Nous avons échangé les rôles. Vous vouliez que vous appelle Abby.

J'entrevis la réalité avec horreur. Il faisait comme s'il ne s'était rien passé. Comme si la nuit dernière avait été l'un de nos jeux où il tenait le rôle du soumis.

— Nous n'avons rien échangé du tout, m'insurgeai-je.

— Bien entendu. C'était exactement ce que vous aviez en tête quand vous êtes entrée dans la bibliothèque avec les chocolats.

Toute pensée cohérente déserta mon esprit. Impossible de rassembler mes idées. J'étais dans le noir absolu. Je ne voyais pas où il voulait en venir. Je plongeai mon regard dans le sien, cherchant désespérément l'homme que j'aimais.

— C'était mon intention, au début, plaidai-je. Et puis vous m'avez embrassée. Vous m'avez appelée Abby. Vous avez passé la nuit dans mon lit.

Il ôta ses mains de la table et prit une profonde inspiration.

— Je ne vous ai jamais invitée dans le mien.

Oh, non. Non!

Je sentis les larmes me monter aux yeux. Ce n'était pas possible. Je secouai la tête.

— Et merde, arrêtez cette mascarade.

— Surveillez vos paroles.

Je serrai les poings.

— Vous croyez que je peux rester polie quand je vous entends déclarer que la nuit dernière ne représentait rien pour vous? Ce n'est pas parce que la dynamique de notre relation a changé que c'est forcément mauvais. Les choses ont évolué. Et alors? Tant mieux. Cela ne pourra que renforcer ce qui existe entre nous.

— Vous ai-je déjà menti, Abigaïl?

Voilà qu'il recommençait avec son *Abigaïl*.

Je reniflai.

— Non.

— Dans ce cas, qu'est-ce qui vous incite à croire que c'est ce que je fais en ce moment?

— Parce que vous paniquez. Vous m'aimez et cela vous terrorise. Mais c'est tout à fait normal. J'ai un peu peur moi aussi.

— Je n'ai pas peur. Je suis un salaud au cœur de pierre. Je pensais que vous le saviez.

Il ne céderait pas. Il s'était retranché derrière une forteresse. Entourée de douves. Retour à la case départ.

Raide comme un piquet, les mains sur les cuisses, le journal étalé sur la table, il m'observait froidement.

Je fermai les paupières et respirai à fond.

J'aurais dû fixer les limites.

Pourquoi n'y avais-je pas pensé? Je devais connaître le seuil du tolérable. Savoir quand il fallait dire *ça suffit*, ou *je n'en peux plus*.

Je passai en revue toutes les éventualités. S'il mentait, c'était un acteur consommé. S'il disait la vérité, je ne pourrais pas le supporter. J'envisageai les différentes options possibles et, pour la première fois, elles étaient toutes d'accord: la mauvaise Abby et la vertueuse, l'extravagante et la raisonnable.

J'aurais dû fixer les limites.

J'avais atteint les miennes.

J'ouvris les yeux. Nathaniel patientait, imperturbable.

Je portai la main à mon cou et défis le collier.

— Térébenthine! dis-je en le posant sur la table.

32

Nathaniel fixait le collier. Il n'avait pas l'air vraiment surpris.

— Très bien, Abigaïl, si c'est ce que vous désirez, dit-il sur un ton monocorde, à croire qu'il récitait le Bottin.

J'enfonçai mes ongles dans ma paume.

— Puisque vous continuez à prétendre que la nuit dernière n'était qu'un jeu, alors oui, c'est ce que je veux.

Il acquiesça d'un petit hochement de tête, le regard vide.

— Je connais un certain nombre de dominants dans les environs de New York. Je serais heureux de vous indiquer quelques contacts. Je pourrais aussi leur transmettre vos coordonnées, si vous voulez.

Comment osait-il? J'avais spécifié dans ma candidature que je souhaitais être sa soumise exclusive. Il le savait. Il faisait cette suggestion pour me blesser.

À cet instant, je compris que l'amour et la haine étaient les deux faces d'une même pièce. Autant j'aimais Nathaniel la minute d'avant, autant je le haïssais à présent.

— J'y penserai, dis-je laconiquement.

Il resta de marbre. Comme s'il avait été sculpté dans la glace.

— Je vais chercher mes affaires.

Je tournai les talons et montai dans ma chambre où, un peu plus tôt, nous avions fait l'amour avec un tel abandon qu'il en avait été ému aux larmes.

Il avait pleuré.

Je m'étais dit que la raison en était les sentiments qu'il me portait. Voire les émotions qui l'avaient submergé une fois ses défenses tombées. Et si c'était la cause du comportement qu'il adopterait quelques heures plus tard?

Oh, Nathaniel. Pourquoi?

Oui, pourquoi ? Quelles motivations le poussaient à agir ainsi?

Plus tard, souffla Abby la rationnelle. *Tu y réfléchiras plus tard.*

D'accord. Plus tard.

J'enfilai mes vêtements personnels, ramassai mon sac et mon iPod. J'abandonnai le réveil. La prochaine soumise de Nathaniel lui trouverait certainement une utilité.

Sa prochaine soumise…

Il y aurait quelqu'un d'autre, bien sûr. Il passerait à autre chose. Il explorerait le plaisir et la souffrance avec une autre. Il serait aimable, patient et attentionné avec une autre.

Oh non, non, non…

C'était pourtant ce qu'il ferait.

Plus tard! hurla Abby la folle.

J'étouffai un sanglot. Elle avait raison. Je m'occuperai de cela plus tard.

Avant de franchir le seuil, je jetai un dernier regard à cette pièce où j'avais vécu la nuit la plus fantastique de toute mon existence.

Ensuite, je me dirigeai vers l'entrée. Je dépassai la salle de jeux, où nous n'avions quasiment jamais mis les pieds, et fis une brève halte devant la porte de sa chambre.

Ses paroles résonnaient encore dans le couloir silencieux tandis que je fixai le lit impeccable. *Je ne vous ai jamais invitée dans le mien.*

Oui, il avait appris à connaître mon corps. Très bien même. Et mon esprit aussi. Il n'aurait pu trouver de mots plus insultants.

Apollon bondit sur moi en remuant la queue. Je m'agenouillai pour le serrer dans mes bras.

Il me lécha la figure.

J'enfonçai mes doigts dans sa fourrure et plongeai mon regard dans le sien. Qui sait? Peut-être pouvait-il comprendre.

— Tu es un bon chien, dis-je en retenant mes larmes. Tu vas me manquer. Je ne peux pas rester ici, on ne se reverra plus. Tu seras gentil. Et… promets-moi de veiller sur ton maître, d'accord?

Il me lécha de plus belle pour me signifier qu'il avait compris. Ou pour me dire adieu?

Je me redressai et m'éloignai.

Sur le trajet du retour, je songeai que la journée ne pouvait pas être pire. C'est ce qu'on se dit quand on veut évacuer les questions qui fâchent. Il y a encore l'espoir que les choses s'améliorent d'ici le soir. Il suffit pour cela d'ingurgiter un grand pot de glace et deux ou trois verres de vin.

Oui, mais je devrais encore affronter Félicia.

Et Jackson pourrait débarquer à l'improviste.

Sans parler de la scène du matin que j'allais me repasser en boucle.

Et la nuit précédente.

Plus tard, me rappela la vertueuse Abby. *Tu y penseras plus tard.*

Elle avait raison, je devais être vigilante au volant. Qu'arriverait-il si j'avais un accident maintenant? Si je me retrouvais à l'hôpital, expliquant à Linda que le personnel de cuisine n'avait plus rien à craindre de son neveu dorénavant?

Je conduisais avec prudence. Il n'y avait pas de danger; les équipes de déblayage avaient fait un excellent travail et très vite dégagé la chaussée. Il ne restait que quelques petites plaques de verglas ici ou là.

Voilà. Regarde la route, les congères, les reflets du soleil sur la neige, la voiture qui te suit.

Je jetai un œil dans le rétroviseur arrière. Je n'étais pas encore arrivée sur l'autoroute et donc il y avait peu de circulation.

Curieux.

J'avais un drôle de pressentiment.

Je ralentis. La voiture derrière aussi.

J'essayai d'apercevoir le conducteur mais il était trop loin. Je ne pouvais même pas distinguer la marque.

J'accélérai. L'autre voiture également.

J'allumai le clignotant pour indiquer que je m'engageais sur l'autoroute. Le véhicule derrière moi m'imita. *Imbécile*, fit Abby la rationnelle. *Comment peux-tu croire qu'il s'agit de lui? Tu crois vraiment qu'il te suit? Arrête de te raconter des histoires.*

Exact. Cela n'arrivait que dans les films. Je décidai de ne plus y penser et reportai mon attention sur la route.

Arrivée chez moi, je lançai mon sac sur le canapé. Puis je me ruai sur ma réserve de glace aux cookies et pépites de chocolat dans le congélateur.

J'avais englouti la moitié du pot quand on frappa à la porte.

— Va-t'en !

— Abby ! cria Félicia. Laisse-moi entrer.

— Non.

— Ouvre, j'ai la clé de toute façon.

Je m'exécutai et retournai finir ma glace.

Elle me suivit à la cuisine.

— Enfin, tu es là ! Je me disais que tu ne rentrerais pas jusqu'à la fin du week-end. Devine quoi ? C'est incroyable.

Ses yeux brillaient d'excitation et je remarquai la délicate carnation rosée de ses joues. La personnification de la femme amoureuse.

— Langue au chat, fis-je en agitant ma cuillère.

Elle tournoya sur elle-même.

— Jackson m'a fait sa demande ! Il s'est mis à genoux et tout. Nous allons choisir l'alliance ce week-end. C'est follement romantique, non ?

À franchement parler, je ne le pensais pas. J'aurais trouvé plus romantique un homme qui vous connaît si bien qu'il peut acheter la bague lui-même et l'avoir dans sa poche quand il vous demande en mariage. Mais s'agissant de Félicia, Jackson était bien inspiré de la laisser choisir sa bague. Et puis c'était le conte de fée de mon amie, pas le mien.

Le conte de fée de Félicia.

Félicia et Jackson allaient se marier !

De mal en pis !

— Eh, Abby, tu pourrais au moins faire semblant d'être heureuse pour moi, non ?

Félicia et Jackson allaient se marier…

La digue se rompit. Je laissai échapper une larme qui coula le long de ma joue.

Félicia me regarda comme si elle me voyait pour la première fois.

— Mais qu'est-ce qui te prend de t'empiffrer de glace comme ça? Et où est ton collier? ajouta-t-elle, le front barré d'un pli d'inquiétude.

Je lâchai la cuillère et me mis à hoqueter, la tête dans les mains.

— C'est Nathaniel, n'est-ce pas? Qu'est-ce qu'il t'a fait? Je vais lui arracher les yeux, à celui-là.

Je sanglotai de plus belle.

Elle se pencha pour me serrer dans ses bras.

— Abby?

Elle attendit que je me calme, puis elle me prit par la main pour me conduire vers le canapé.

Elle me caressa les cheveux.

— Tu me racontes?

— C'était merveilleux, répondis-je une fois que j'eus retrouvé l'usage de la parole. Il m'a embrassée, il m'a appelée Abby et nous avons fait l'amour…

— Il t'a embrassée? Pourquoi? Il ne l'avait jamais fait avant?

Mes larmes redoublèrent.

— Pardon. Je ne sais pas tenir ma langue. Je suis désolée.

Son portable sonna, mais elle n'y prêta pas attention.

— Ça va aller, bredouillai-je. Je n'ai pas envie d'en parler maintenant.

Quand elle le voulait et cessait de se croire le centre de l'univers, Félicia pouvait être très intuitive et surprendre son monde.

— Tu es amoureuse, c'est ça?

— Je te répète que je ne veux pas en parler.

Elle me dévisagea, abasourdie.

— Tu aimes ce salaud! Ce n'était pas juste un jeu pervers?

Je fis oui de la tête.

Son téléphone sonna de nouveau. Elle consulta le numéro qui s'affichait sur l'écran.

— Attends deux secondes. Salut, chéri, lança-t-elle en se dirigeant vers la cuisine. Non, pour ce soir ce ne sera pas possible. Tu as parlé à Nathaniel? ajouta-t-elle en baissant d'un ton.

C'était un vrai cauchemar. Ça n'en finirait jamais.

— Écoute, poursuivit Félicia, la seule chose qui me retient d'étriper ce salopard, c'est qu'il est ton cousin, et que Abby voudra probablement s'en charger elle-même un de ces jours. Je ne voudrais pas la priver de ce plaisir.

Silence.

— Oui, je sais, répondit-elle. C'est génial… je t'aime aussi.

Je me cachai le visage dans un coussin.

J'aurais voulu mourir.

La première semaine, je ressemblais à un zombie. Je partais travailler, rentrais à la maison et allais droit au lit. Impossible de dormir. Je ressassais sans cesse les derniers jours passés avec Nathaniel. Je me demandais ce que j'avais fait de mal et si j'aurais pu agir différemment. Je finis par décider que je n'avais rien à me reprocher. C'était entièrement de sa faute.

J'arrêtai la gym et le régime. Je passai mon temps vautrée sur le canapé à regarder des bêtises à la télévision en me bourrant de glaces. Mon corps n'étant pas habitué à l'inaction et aux cochonneries, je finis par me sentir très mal dans ma peau. Par la faute de Nathaniel, une fois de plus.

Je revivais ses visites à la bibliothèque, le mercredi. Je me revoyais assise à l'accueil sur des charbons ardents, en train de compter les heures qui me séparaient de son arrivée.

La seule pensée réconfortante était qu'au moins, je me trouvais chez moi, dans mon appartement où il n'avait jamais mis les pieds. Son souvenir ne revenait heureusement pas me harceler d'une pièce à l'autre, ou couchée dans mon lit pour une nouvelle nuit d'insomnie.

J'espérais en revanche que ma présence continuerait à le hanter partout où il irait. Dans la bibliothèque. Assis au piano, où il penserait à moi juchée sur ses genoux. À la cuisine, avec mes jambes autour de sa taille tandis qu'il préparerait à dîner. Au jardin, en caressant son chien, en mangeant, en se couchant...

Je priais pour que mon image l'obsède jusqu'à l'empêcher de respirer et qu'il s'en mordrait les doigts, sachant que tout était de sa faute et qu'il ne pouvait s'en prendre qu'à lui-même.

33

Il se passa plusieurs événements au cours des semaines suivant ma rupture avec Nathaniel.

Tout d'abord, j'avais enfin déserté le canapé et recommencé à faire de l'exercice. Après les efforts déployés pour sculpter mon corps, je trouvais dommage d'en perdre le bénéfice.

Ensuite, Félicia et Jackson fixèrent la date de leur mariage au mois de juin. J'étais soulagée – cela me donnait du temps. D'ici là, c'est-à-dire dans quatre mois, je pourrais remonter la pente. Je serais capable de traverser l'allée centrale derrière Félicia, la tête haute, sans me soucier de ce triste individu.

Il faut dire qu'elle m'avait demandé d'être sa demoiselle d'honneur et que j'avais accepté avec enthousiasme. Parfois, perdue dans des réflexions existentielles, je songeais que le seul but de ma relation avec Nathaniel avait été de rapprocher Félicia et Jackson. Le jeu en valait la chandelle puisque mon amie était heureuse. Et Dieu sait si elle le méritait. Néanmoins, cette pensée ne m'effleurait pas souvent l'esprit, notamment à cause du quatrième point.

En l'occurrence, le magazine *People* avait publié un petit entrefilet à mon propos. Les fiançailles de Jackson et de Félicia n'auraient probablement pas autant attiré l'attention si elles n'avaient pas eu lieu si près du Super Bowl. Or c'était le cas, de sorte que mon nom figurait de la manière suivante : « Abby King, la meilleure amie de Félicia Kelly, a été vue au bras de Nathaniel West, le cousin de Jackson. »

Passons.

Ceci eut lieu avant l'épisode numéro cinq : Linda avait décidé de fêter les fiançailles de Félicia et Jackson en mars.

Du coup, le délai de quatre mois dont je disposais pour me préparer à l'inévitable confrontation avec Nathaniel se réduisait comme peau de chagrin.

Elaina m'appela peu après que Félicia eut annoncé la nouvelle. J'étais un peu gênée, vu que j'avais coupé les ponts après ma rupture avec Nathaniel.

— Salut, Elaina.

— Abby ! Depuis le temps que j'avais envie de te parler…

— Désolée, mais…euh… je ne me sentais pas prête.

— Je comprends. Je voulais avoir de tes nouvelles.

Je savais qu'elle était sincère.

Je me laissai tomber sur le canapé, les jambes repliées sous moi.

— Ça va. Je suis un peu à cran à cause de cette histoire de fiançailles.

— L'idée vient de Linda. Elle tenait à organiser une réception à cette occasion. D'autant que le mariage aura lieu dans l'intimité.

Félicia et Jackson prévoyaient en effet une cérémonie en petit comité dans la maison de campagne d'Elaina et de Todd.

— Ne t'inquiète pas, dis-je, je m'en sortirai.

— C'est une loque, lança-t-elle, passant du coq à l'âne. Je sais que ce n'est pas ton problème et ce n'est pas moi qui te le reprocherai, mais il n'est plus que l'ombre de lui-même. Il a demandé à Todd de lui recommander quelqu'un pour un soutien psychologique.

— Ah? Il a besoin d'aide? Et aussi d'un bon coup de pied là où je pense, si tu veux mon avis.

— Je suis bien d'accord, s'esclaffa-t-elle. Sache que tout le monde est disposé à t'aider, tu n'as qu'un mot à dire.

Je me surpris à sourire.

— Merci, je ne l'oublierai pas, c'est promis. Au fait, est-ce que tu pourrais m'expliquer… à propos de quoi Nathaniel et Todd s'étaient disputés, l'autre jour à Tampa?

Et voilà, c'était dit. J'avais réussi à prononcer son nom, à haute voix en plus.

— Todd est muet comme une tombe, sous prétexte que c'est à Nathaniel d'en parler. J'ai essayé de lui tirer les vers du nez, tu peux me croire.

Je ris de bon cœur. C'était si bon. Mise en confiance, je m'enhardis à questionner.

— Je vois. Nathaniel vous a parlé de notre séparation?

— Oui, il prétend que c'est toi qui l'as largué. Mais personne n'est dupe. On sait tous qu'il nous cache quelque chose. Il a dû se comporter comme une couille molle pour que tu le quittes.

Je me tordis de rire.

— Une couille molle? C'est possible?

— Concernant Nathaniel, oui.

Nous bavardâmes ensuite de choses et d'autres. J'avais l'impression d'être redevenue normale. Et cela me faisait un bien fou.

Félicia et moi avions eu des mots quand elle avait débarqué le jour de la Saint-Valentin, la bague au doigt.

— Tu ne crois pas que tu vas un peu vite en besogne avec Jackson? remarquai-je, après m'être extasiée en bonne et due forme.

— Qui est-ce qui parle!

— Allez, dis ce que tu as sur le cœur, contre-attaquai-je, toutes griffes dehors.

Elle pinça les lèvres.

— Non.

Je la poussai dans ses derniers retranchements.

— Vas-y. Accouche. Tu en meurs d'envie. Tu me reproches d'avoir laissé Nathaniel me baiser en long en large et en travers pour finir par rentrer à la maison en chialant comme une mauviette parce qu'il a dépassé les bornes?

— Arrête.

— Défoule-toi, ça ira mieux après.

Elle se campa devant moi, les mains sur les hanches.

— D'accord, si c'est ce que tu veux. Qu'est-ce que tu croyais? Qu'il tomberait follement amoureux de toi et que tout finirait bien? Que tu n'aurais qu'à claquer des doigts pour qu'il accoure la queue entre les jambes? Si tu l'aimais vraiment, tu serais peut-être restée pour en discuter avec lui. Mais tu as préféré prendre la fuite parce que ça ne marchait pas comme tu voulais. Nathaniel a des problèmes, à ton avis? On en a tous. Bats-toi au lieu de vivre recluse à pleurer comme une gamine et à rendre tout le monde malheureux.

— Tu as fini?

— Pas encore. Je sais que cette fête ne sera pas une partie de plaisir pour toi. Ce ne sera facile pour personne, parce que tu es ma demoiselle d'honneur et qu'il est le témoin de son cousin.

— Nathaniel est le témoin?

— Oui. Ce sera dur pour tout le monde. D'après Jackson, Nathaniel n'est plus qu'une lamentable épave. Il paraît qu'il a passé les jours suivants ton départ à boire comme un trou. Linda…

— Non, c'est vrai?

— Oui. Linda en est malade. Elle a supplié son fils de reporter le mariage. Elle pense que ce sera plus facile pour vous deux si nous attendions quelques mois de plus. Finalement, Jackson et moi avons réussi à la convaincre d'organiser une fête de fiançailles…

— Non, c'est vous…?

— Oui. Arrête de m'interrompre.

— Excuse-moi.

— Tu vas y assister, Abby. Et tu iras lui parler. C'est compris? Tu te comporteras de manière civilisée. Je me fiche que tu lui dises d'aller se faire voir, du moment que tu restes polie. Et tu sais pourquoi? Parce que c'est mon mariage et que tu n'as pas intérêt à le gâcher

C'était du Félicia tout craché. Pourtant, quelque part, je pensais qu'elle n'avait pas tort.

— Dis quelque chose, insista-t-elle.

— Tu as raison. J'aurais dû avoir le courage de lui parler. Au lieu de quoi, j'ai choisi la facilité. Peut-être parce que je ne croyais pas qu'il me laisserait partir.

— D'après ce que tu m'as raconté, il a gardé ses distances dès le départ. Il ne t'a jamais traversé l'esprit que tu agissais exactement comme il l'avait prévu?

— Si, une ou deux fois.

Elle me secoua par les épaules.

— Je sais que tu es furieuse contre lui. Comme moi. Et si j'en crois Jackson, Todd et Elaina aussi. Mais si tu tiens à lui, il faut que tu lui parles et que fasses également ton mea culpa.

— Tu m'en demandes beaucoup.

— Est-ce qu'il en vaut la peine?

— Je le croyais.

— Il n'a pas changé, ce qui veut dire qu'il en vaut encore le coup.

J'essuyai une larme.

— Mais ne lui facilite pas les choses. Il doit lui aussi reconnaître ses erreurs, qui sont bien plus graves que les tiennes, si tu veux mon avis. Le seul qui compte, comme tu sais, acheva-t-elle avec un sourire.

Le temps passait vite et lentement à la fois. Je consultais le calendrier, en remerciant le ciel d'avoir encore deux semaines avant de revoir Nathaniel, et un beau jour, sans que je sache comment, il ne me restait plus que deux heures pour me préparer.

Je portais un fourreau argent acheté dans une vente en liquidation. J'avais refusé la robe magnifique qu'Elaina voulait me prêter, ne voulant rien devoir à personne.

Le jour J, Félicia partit très tôt en compagnie de son fiancé. Normal, puisqu'elle était la reine de la fête. Avant leur départ, Jackson m'avait affectueusement serrée dans ses bras. Je l'aimais bien. Il se montrait très prévenant à mon égard, évitant de parler de son cousin pour ne pas me mettre mal à l'aise.

Je n'en menais pas large dans le taxi qui me conduisait au *Penthouse*, où avait lieu la fête. Je ne me rappelais pas avoir été aussi nerveuse de ma vie.

Tant de questions se bousculaient dans ma tête. Serait-il déjà là quand j'arriverais ? Prendrait-il l'initiative de m'adresser la parole ou devrais-je faire le premier pas ?

De quoi aurait-il l'air ? Avait-il changé au cours du mois écoulé ? Me dévisagerait-il de ce regard glacial et vide dont j'avais gardé le souvenir, ou afficherait-il un air accablé, plein de regrets ?

Je le fais pour Félicia, me répétais-je comme un mantra en franchissant la porte.

Elaina me guettait. Elle m'embrassa tendrement en me serrant dans ses bras.

— Oh, Abby, nous ne resterons plus jamais aussi long-temps dans le silence, toi et moi, tu me le promets ?

— Promis, répondis-je avec sincérité.

Elle s'essuya les yeux.

— Il n'est pas encore arrivé.

— Tant mieux. Je compte bien profiter de ce répit.

— Tu viens dire bonjour à Linda ?

Cette dernière me sauta au cou, le regard humide de larmes.

— Oh, Abby, merci d'être venue, c'est très gentil à vous.

— Je n'aurais manqué cette fête pour rien au monde, ré-pondis-je en l'embrassant à mon tour.

Je parcourus la salle des yeux. La lueur diffuse des bou-gies conférait aux murs blancs une jolie couleur crème. Le buffet était dressé le long d'un mur, à côté du bar. À l'angle opposé se tenait le DJ, jonglant avec ses disques. Il y avait aussi une piste de danse et plusieurs tables recouvertes de nappes et flanquées de chaises.

— C'est magnifique, m'extasiai-je.

— Je n'aurais pu choisir un plus bel endroit pour célébrer l'entrée de Félicia dans la famille, renchérit Linda. Mon fils compte les heures qui le séparent du grand jour.

— Félicia aussi.

Nos voix se noyaient dans le brouhaha ambiant, pareil à un bourdonnement d'abeilles. La salle grouillait de monde. Soudain, celui que j'attendais accrocha mon regard.

Nathaniel.

Il avait l'air en forme, je ne pouvais le nier, les cheveux en bataille, comme au saut du lit, vêtu d'un costume noir qui lui allait à la perfection. Il serra la main de plusieurs personnes d'un air distrait tout en scrutant l'assistance des yeux.

Son sourire s'évanouit quand il m'aperçut et il se fraya aussitôt un chemin dans ma direction.

Linda s'éclipsa discrètement.

J'aurais voulu tenir un verre pour me donner une contenance. Faute de mieux, je joignis les mains sur mon ventre.

Mon cœur fit un bond dans ma poitrine et je sentis de fines gouttes de sueur perler à mon front.

Il était tout près.

Je coinçai nerveusement une mèche rebelle derrière l'oreille. Autour de nous, les conversations allaient bon train au milieu des rires et des tintements des verres.

Brusquement, il était devant moi.

— Bonjour Abby, murmura-t-il, plongeant son regard vert lumineux dans le mien.

Abby ?

— Nathaniel, fis-je d'une voix qui, heureusement, ne tremblait pas.

— Vous êtes très en beauté, ce soir.

— Merci.

Il avança d'un pas.

— Je voulais vous dire que…

— Ah enfin, te voilà, je t'ai cherché partout! s'exclama une jeune femme blonde.

Il la salua d'un bref signe de tête.

— Mélanie, ce n'est pas le moment.

Mélanie?

Elle était superbe. Sa robe blanc cassé épousait ses formes harmonieuses. Son cou était orné d'un délicat collier de diamants et ses longues boucles cascadaient librement sur ses épaules.

Elle me tendit la main en m'adressant une œillade complice.

— Vous devez être Abby. Ravie de vous connaître.

Je lui rendis son salut, perplexe. Que se passait-il? À quoi jouait-elle? Qu'est-ce que Nathaniel s'apprêtait à dire?

Il la fusilla du regard.

— Mélanie, je…

Un gros homme au crâne dégarni surgit à cet instant.

— Nathaniel! s'exclama-t-il en le gratifiant d'une bourrade dans le dos. Vous tombez à pic. Venez donc. Je voudrais vous présenter quelqu'un.

Nathaniel se laissa entraîner à l'autre bout de la pièce sans me lâcher des yeux.

— Ouf, dit Mélanie. On l'a échappé belle.

— Vous l'avez fait exprès?

Elle posa une main sur mon épaule.

— Je ne sais pas ce que Nathaniel s'apprêtait à vous dire. Quoi qu'il en soit, il ne faut pas lui simplifier les choses. Donnons-lui du fil à retordre. On verra alors s'il tient réellement à vous.

Je la fixai, abasourdie.

— Je ne suis pas rancunière au point d'être aveugle. Je sais voir quand un homme est amoureux.

Je ris bêtement tandis qu'elle s'éloignait.

Mélanie était de mon côté.

Deux heures plus tard, il était évident qu'il ne lèverait pas le petit doigt pour me reconquérir. Il était toujours en grande discussion avec les personnes qui l'entouraient. Au fond, c'était aussi bien.

— Je le déteste, pesta Elaina en l'observant.

— Écoute, ce n'est pas grave. Tout s'est bien passé jusque-là. C'est l'essentiel.

— Non, rien ne s'est passé comme je m'y attendais. Ça ne va pas du tout.

Les premières notes d'un slow langoureux retentirent. Jackson entraîna Félicia sur la piste.

Je le fais pour Félicia, me répétai-je in petto.

Elaina croisa les bras sur sa poitrine d'un air de défi.

— Bon, ça suffit pour ce soir, dis-je en l'embrassant. Je m'en vais. On s'appelle, d'accord?

Elle acquiesça.

Je promenai mes regards alentour une dernière fois. Félicia et Jackson tournoyaient sur la piste. Linda discutait avec Mélanie et ses parents. Todd s'approcha d'Elaina, il l'enlaça et lui chuchota quelque chose à l'oreille.

Je ne cherchai pas Nathaniel du regard.

Je me trouvais tout près de la sortie lorsque la musique s'interrompit brusquement. Les conversations cessèrent. Un micro couina.

— Ne me quittez pas, Abby.

La voix de Nathaniel s'éleva dans le silence.

Je pivotai sur mes talons. Il se tenait à la place du DJ, le micro à la main.

— Je vous ai laissée partir une fois et ça a failli m'achever. Je vous en prie, ne me quittez pas.

34

J'étais au bord de la syncope.

Nathaniel n'avait pas hésité à me livrer en pâture à la foule pendant la fête en l'honneur des fiançailles de Jackson et Félicia, et voilà que ma honte était exhibée aux yeux de chacun. Abby la raisonnable était profondément mortifiée. Abby l'extravagante, toute tourneboulée qu'il n'ait pas hésité à se donner en spectacle devant les invités, se moquait royalement que les regards soient braqués sur elle.

On aurait dit que mes pieds ne m'obéissaient plus. Je m'obligeai à traverser la piste de danse parmi les couples qui s'écartaient pour me laisser passer.

Félicia allait nous étrangler, c'était sûr.

Nathaniel d'abord, moi après.

Il m'observait sans esquisser un geste.

— Qu'est-ce qui vous a pris? aboyai-je en lui arrachant le micro que je passai au DJ, interloqué.

Apparemment, Abby la rationnelle avait décidé de faire des siennes.

Nathaniel regarda autour de lui, comme s'il sortait de l'engourdissement où il était plongé. Il me tendit la main, que je refusai.

— Je suis désolé, mais je ne pouvais pas vous laisser partir. J'ai eu tort de réagir de cette manière, je l'avoue. Laissez-moi vous appeler un taxi.

— Maintenant que je suis là, vous pourriez peut-être finir ce que vous avez commencé à me dire tout à l'heure.

— Il y a une petite pièce dans le…

— Mesdames et Messieurs, coupa le DJ. Le témoin et la demoiselle d'honneur : Nathaniel West et Abby King !

Le public applaudit poliment tandis que le piano se mettait à jouer.

— Merde ! lâcha Nathaniel.

Étions-nous censés danser ?

Apparemment, oui.

Félicia s'avança, un sourire encourageant aux lèvres.

Je te déteste, articulai-je silencieusement à son adresse.

Elle m'envoya un baiser du bout des doigts.

Nathaniel m'offrit son bras.

— Vous permettez ?

Je posai la main sur sa manche et sentis ses muscles crispés à travers l'étoffe tandis qu'il me conduisait au centre de la piste.

— Je n'aurais pas pu imaginer une situation plus embarrassante même dans mes pires cauchemars, déclara-t-il en entourant ma taille de ses bras.

Je plaçai une main tremblante sur son épaule.

— C'est entièrement de votre faute. Si vous ne m'aviez pas retenue, rien ne serait arrivé.

Son regard me transperça jusqu'au tréfonds de mon être.

— J'ai eu tort sur toute la ligne, mais si je vous avais laissée repartir ce soir, je ne me le serais jamais pardonné.

Abby la folle me poussait à lui dire qu'elle adorait la façon dont il avait procédé, mais l'autre, la rationnelle, n'en avait pas encore terminé.

— Dans ce cas, qu'est-ce qui vous a empêché de m'appeler le mois dernier? rétorquai-je.

— Je ne savais plus où j'en étais, Abby.

Mon cœur ratait un battement chaque fois qu'il m'appelait ainsi.

C'était étrange de me retrouver dans ses bras. En même temps, je m'y sentais à ma place. J'avais une foule de questions à lui poser.

— Et maintenant, vous le savez?

— Non, mais j'y vois un peu plus clair.

Nous évoluions au rythme de la musique. D'autres couples nous avaient rejoints.

Il se figea subitement et nous restâmes sur place, étroitement enlacés.

Il darda son regard sur le mien.

— J'ai eu tort, ce soir, répéta-t-il. Je n'ose espérer que vous y consentirez, et je comprendrais votre refus, mais… euh… pourrions-nous nous revoir demain après-midi? J'aimerais vous parler, prendre le temps de m'expliquer.

Mon cœur fit une embardée. Il voulait me parler? S'expliquer? Et moi, étais-je prête à l'écouter?

— D'accord, m'entendis-je répondre.

Il sourit, le visage radieux, les yeux brillants.

— Vous voulez bien? Vraiment?

— Oui.

Les mots se bousculaient dans sa bouche.

— Puis-je passer vous prendre? Ou préférez-vous qu'on se retrouve quelque part? Dites-moi ce qui vous arrange.

Il s'efforçait de me mettre à l'aise. Je me sentis tout de suite mieux. Mais je n'étais quand même pas disposée à me retrouver seule dans une voiture avec lui. Et encore moins chez moi.

— Un café sur Broadway West? proposai-je.

Il acquiesça.

— D'accord. Treize heures demain, ça vous va?

Mon cœur menaçait d'exploser pendant que la mélodie s'estompait tout doucement.

Il me guida vers la sortie.

— Merci, Abby. Pour cette danse et pour notre rendez-vous de demain

En arrivant chez moi, un peu plus tard dans la soirée, je trouvai un paquet sur le paillasson.

J'attrapai la carte et déchiffrai le message rédigé d'une écriture élégante.

Pour Abby,
Qui ne s'est pas trompée sur les étiquettes.
Nathaniel.

J'ouvris fébrilement le paquet et éclatai de rire.

Il était rempli de boîtes dont on avait retiré les étiquettes.

Le lendemain, arrivé en avance, Nathaniel m'attendait à une table d'angle, au fond du café. Il se leva d'un bond quand il me vit approcher et m'avança une chaise.

— Merci d'être venue, Abby. Voulez-vous boire quelque chose?

Je déclinai son offre. J'étais si nerveuse que je me sentais incapable d'avaler quoi que ce soit.

Il attendit que je sois installée avant de se rasseoir.

— Je ne sais pas par quoi commencer, dit-il en triturant fébrilement une serviette en papier. J'ai imaginé cet instant une bonne centaine de fois. J'ai même pris des notes pour ne rien oublier. Mais à présent… je suis complètement perdu.

— Pourquoi ne pas commencer par le commencement?

Il abandonna la serviette et exhala longuement.

— Tout d'abord, je veux m'excuser d'avoir abusé de vous.

Je le fixai sans comprendre.

Il fourragea dans ses cheveux.

— Je n'ignorais pas que vous n'aviez jamais eu ce genre de relation auparavant et je me suis servi de vous. Prenez le code secret, par exemple. Je ne vous ai pas menti en vous disant qu'aucune de mes soumises ne l'avait utilisé auparavant. En fait, j'espérais par ce biais que vous vous sentiriez en sécurité et ne seriez pas tentée de me quitter. Finalement, cela s'est retourné contre moi, n'est-ce pas?

— C'est votre responsabilité.

Son regard s'adoucit.

— Exact. Vous me faisiez confiance. Vous vous êtes pliée à tous mes caprices. Vous m'avez offert votre amour. En échange, j'ai pris ce que vous me donniez et je vous l'ai jeté à la figure.

— J'ai accepté tout ce que vous m'avez fait subir physiquement. J'aurais d'ailleurs supporté n'importe quoi venant de vous, mais sur le plan émotionnel, je suis complètement dévastée à cause de vous.

— J'en suis conscient.

— Savez-vous à quel point vous m'avez blessée? Ce que j'ai ressenti quand vous avez prétendu que la dernière nuit ne signifiait rien? Pour moi, c'était la plus fantastique de toute ma vie, et vous m'avez affirmé que c'était une mise en scène. Vous auriez pu aussi bien me plonger un couteau dans le cœur.

Les muscles de sa mâchoire tressaillirent et ses yeux s'embuèrent.

— Je suis sincèrement désolé.

— Je veux savoir ce qui vous a poussé à agir de la sorte. Vous auriez pu vous contenter de dire quelque chose comme, je ne sais pas moi, « j'ai besoin de temps pour réfléchir », par exemple, ou bien, « vous allez trop vite ». N'importe quoi sauf ce que vous avez fait.

— Je craignais que, lorsque vous auriez appris... il s'interrompit et son regard se perdit dans le vide.

— Appris quoi?

— Notre relation était bâtie sur des sables mouvants, comme un château de cartes qui menaçait de s'écrouler d'un moment à l'autre.

De quoi parlait-il?

Il respira un grand coup.

— C'était un mercredi, il y a environ huit ans. J'étais...

— Qu'est-ce qu'une histoire vieille de huit ans a à voir là-dedans?

— Laissez-moi vous expliquer. J'avais rendez-vous pour déjeuner avec Todd à la fac. Je devais le retrouver à la bibliothèque. Une femme montait l'escalier quatre à quatre. Elle a trébuché, elle est tombée et a regardé autour d'elle pour voir si quelqu'un arrivait. Je me suis approché pour l'aider, mais vous m'avez devancé.

— Moi?

Il se remit à tripoter sa serviette.

— Oui. Apparemment, vous la connaissiez. Vous avez ramassé ses livres en plaisantant avec elle. Il y avait du monde à proximité, mais vous étiez la seule à être intervenue. Je me suis assuré que vous ne m'aviez pas remarqué et je vous ai suivie à la bibliothèque. Vous animiez un groupe de lecture autour de *Hamlet*. Vous avez lu une tirade d'Ophélie.

Je restai muette de surprise.

— Je suis resté là à vous observer, enchaîna-t-il. Je mourais d'envie d'être votre Hamlet. Je vous mets mal à l'aise?

Je secouai la tête.

— Non, et ensuite?

— Je suis arrivé en retard à mon rendez-vous. Todd était furieux. Alors je lui ai raconté que j'avais rencontré quelqu'un. Ce qui était un demi-mensonge.

— Pourquoi ne m'avez-vous pas abordée comme n'importe qui l'aurait fait?

— Je vivais déjà de cette façon, Abby, en dominant, et j'ai pensé que vous étiez trop jeune et impressionnable. Je me suis dit que ça ne pourrait jamais marcher entre nous. Je ne soupçonnais pas alors votre penchant pour la soumission, jusqu'à ce que votre candidature me parvienne à mon bureau. Remarquez, même si je l'avais su, j'avais déjà quelqu'un à l'époque, et je suis fidèle à ma façon.

— Mon penchant pour la soumission? répétai-je, ahurie.

Il se pencha vers moi par-dessus la table.

— Vous êtes une soumise sexuelle, Abby. Vous devez le savoir. Comment expliquer autrement votre abstinence totale depuis trois ans?

— Je n'ai trouvé personne qui… je m'arrêtai, comprenant où il voulait en venir.

— Un dominant à votre mesure, acheva-t-il à ma place.

Je me tortillai sur mon siège. Avait-il raison?

— Vous n'avez pas à avoir honte.

— Je n'ai pas honte. Je n'avais jamais envisagé la question sous cet angle.

— Évidemment. C'est pourquoi vous avez pété les plombs quand je vous ai proposé d'autres dominants.

— Je vous ai détesté pour cela.

Il ébaucha un petit sourire triste.

— Je redoutais que vous acceptiez mon offre, soit dit en passant. Je me suis creusé la cervelle pour vous trouver quelqu'un, seulement je ne pouvais pas vous imaginer avec un autre. Notez que j'y aurais tout de même consenti, si vous me l'aviez demandé.

— Vous pensiez réellement à satisfaire mes envies, mes besoins quand vous m'avez fait cette proposition?

— Je savais que vous vouliez m'appartenir exclusivement. Mais après avoir tenté l'expérience, j'étais persuadé que vous en redemanderiez. Votre réaction m'a surpris, je ne vous le cache pas. Je regrette profondément.

Jusqu'à quand allait-il se confondre en excuses? Je doutais de sa sincérité. Pourtant, un seul regard suffit à me rassurer. Il souffrait vraiment.

Moi aussi, d'ailleurs. Je n'avais pas réussi à tourner la page, si bien que la douleur était toujours aussi vive. Le manque. Le désir.

Et l'amour…

— Jackson pense que vous auriez dû faire des efforts, ne pas renoncer aussi vite, ajouta-t-il. C'est facile de juger quand on ne possède pas tous les éléments. Vous auriez eu beau faire, vous ne m'auriez jamais convaincu de changer d'avis, l'autre jour. Le résultat aurait été le même. Vous n'avez rien à vous reprocher.

— Je vous ai poussé à bout. J'ai brûlé les étapes.

— Peut-être, mais vous auriez été en droit de vous attendre à autre chose de ma part. Au lieu de quoi, j'ai fait la sourde oreille.

Que rétorquer à cela ?

— Mais ce n'est pas tout, ajouta-t-il.

— Il s'agit de Todd, n'est-ce pas ?

— Je ne vous ai jamais harcelée, mais je ne pouvais pas vous laisser sortir de ma vie non plus. Je vous surveillais à la bibliothèque. Todd était au courant. Aussi ai-je prétexté que je n'avais pas encore le courage de vous parler.

— Il vous a cru ?

Il allongea la main pour saisir la mienne à travers la table, mais se ravisa.

— Probablement pas, mais il savait que je ne tenterais rien de déplacé. Et je m'y suis tenu, Abby, je vous le jure. Je n'ai jamais cherché à en savoir plus sur vous. Je ne vous ai jamais suivie non plus.

— Sauf le matin où je vous ai quitté, dis-je, me rappelant la voiture derrière moi.

— Les routes étaient glissantes à cause de la neige, et vous étiez folle de colère. Je voulais m'assurer que vous arriveriez à bon port.

— Donc, si je comprends bien, quand vous avez aidé ma mère, vous saviez qui elle était ?

Il acheva de déchiqueter la serviette.

— Oui, je l'ai fait pour vous. Je connaissais votre nom. C'était le même que sur les papiers de la banque. Vous étiez mon idole vénérée. Un rêve inaccessible. La relation que je ne pourrais jamais concrétiser. À Tampa, après la partie de golf, Todd m'a taquiné à propos de la bibliothécaire que je courtisais à l'époque. Le dîner de la veille lui avait rafraîchi la mémoire. Je lui ai avoué que c'était vous et il s'est emporté.

C'était tellement simple. Tout devient si simple quand on va au fond des choses.

— *Une relation repose sur la transparence et la franchise.* Voilà ce que m'a dit Todd. Et aussi que vous cacher la vérité par omission était malhonnête.

Fin de l'histoire. Je le sentais.

— Il exigeait que je vous dise la vérité, et j'ai accepté. Je lui ai demandé un délai de trois semaines, le temps de réfléchir à la meilleure façon de vous l'annoncer. Il a accepté.

— Seulement, je suis partie avant.

— Oui. J'imagine que sinon, j'aurais fini par tout vous avouer. C'était bien mon intention. Et puis, après notre dernière nuit, j'ai craint que vous ne pensiez que je vous avais piégée ou manipulée.

— Oui, c'était une éventualité.

— Je n'étais pas rassuré. Vous aviez vu juste sur ce point. Je me suis dit qu'il serait plus simple de vous laisser partir, mais j'avais tort. Je n'ai jamais ressenti pour personne ce que je ressens pour vous.

Je notai avec émotion qu'il avait employé le présent.

Dans l'intervalle, le café s'était vidé. Le personnel nous observait avec curiosité. Nous n'avions toujours pas passé commande.

Il sourit.

— Je suis en thérapie. Deux fois par semaine. J'essaye de régler certaines choses. Votre nom revient souvent.

Tiens donc !

— Je ne vous ai pas laissé en placer une, remarqua-t-il. Mais je constate que vous ne vous êtes pas sauvée en courant. J'espère que ce que je vous ai raconté ne vous a pas trop embrouillée ? Ce n'était pas le but recherché.

En résumé, il m'avait révélé qu'il me connaissait depuis des années, qu'il m'avait admirée de loin. Désirée. Et qu'il avait paniqué à cause des sentiments qu'il éprouvait pour moi.

Cela rachetait-il ses erreurs? Ou ses déclarations? Non, mais je pouvais comprendre.

Enfin, en partie.

— J'ai besoin de réfléchir, dis-je en me levant.

Il m'imita.

— D'accord. C'est compréhensible. Je n'en espérais pas tant.

Il me prit les mains et m'embrassa le bout des doigts.

— Vous m'appellerez cette semaine? J'ai encore tant de choses à vous dire. Si vous le désirez, bien sûr, ajouta-t-il en me dévisageant, comme pour guetter ma réaction.

Je sentis la brûlure de ses lèvres sur les miennes.

— Je vous appellerai de toute façon.

35

Je passai les deux jours suivants à ruminer les paroles de Nathaniel, ressassant dans ma tête notre conversation pour démêler les sentiments confus qui m'agitaient.

En résumé.

Il m'épiait depuis des années.

Il n'avait jamais cherché à m'approcher.

Et il me l'avait caché.

Et moi?

Il alimentait mes fantasmes depuis une éternité. Je suivais ses faits et gestes grâce aux tabloïds. Était-ce plus ou moins répréhensible que si je m'étais arrangée pour le suivre physiquement partout où il allait? Aurais-je fait pareil à sa place?

La réponse était oui, évidemment.

À la réflexion, c'était moi qui avais fait le premier pas en contactant M. Godwin.

Je l'appelai le mardi soir suivant.

— Nathaniel? C'est moi.

— Abby, répondit-il avec une excitation contenue.

— Il y a un bar à sushis en face de la bibliothèque. On s'y retrouve demain pour déjeuner?

Je me débrouillai pour arriver la première, à midi moins le quart. Je trouvai une table libre et patientai.

Mon cœur fit un bond quand je le vis entrer. Il balaya la salle des yeux, me repéra et sourit. Puis il se dirigea droit vers moi, indifférent aux regards féminins braqués sur sa haute stature virile d'un mètre quatre-vingt.

Dire que cet homme m'avait désirée, espionnée…

Ses yeux étincelèrent et je compris à cet instant que je lui avais pardonné.

— Abby, dit-il en s'asseyant, à croire qu'il se gargarisait de mon nom.

— Nathaniel, répondis-je avec un naturel qui me ravit.

Après avoir commandé, on se mit à bavarder à bâtons rompus. De la chaleur inhabituelle pour la saison. D'une soirée poésie programmée prochainement à la bibliothèque. De Félicia dont il me demanda des nouvelles.

Soudain, il se rembrunit.

— Je dois vous dire quelque chose, dit-il gravement.

Je me demandai ce qu'il pouvait bien avoir encore à me confesser.

— Je vous écoute.

— Sachez que je suis une thérapie pour travailler sur mes problèmes personnels, notamment sur le plan émotionnel. Ma sexualité n'a rien à voir là-dedans.

J'imaginais bien où il voulait en venir.

— Je suis un dominant. Et je n'ai pas l'intention de changer. Pas question de modifier cette facette de ma personnalité. Ce qui ne signifie pas que je ne peux pas goûter à d'autres…

saveurs. Au contraire, c'est une manière de varier les plaisirs. Vous comprenez?

— Oui. Je ne vous vois pas rejeter cette partie de vous-même. Ce serait nier ce que vous êtes.

— Exactement.

— De la même façon que je ne peux pas combattre ma nature de soumise.

— Tout à fait.

Le serveur apporta les boissons. J'avalai une grande gorgée de thé.

— Comment avez-vous appris ce détail à mon sujet? reprit-il. Vous n'êtes pas obligée de répondre.

Et voilà. On y était.

— Voyons, tout le monde connaît Nathaniel West, rétorquai-je avec un geste évasif.

— Peut-être, mais tout le monde ne sait pas qu'il attache les femmes aux barreaux de son lit et les bat avec une cravache.

J'avalai de travers.

Il darda sur moi ses prunelles étincelantes.

— Vous l'avez cherché.

Je me tamponnai la bouche avec une serviette, soulagée de ne pas avoir taché mon chemisier.

— C'est vrai.

— Alors?

— Je me suis intéressée à vous à l'époque où vous aviez aidé ma mère. Auparavant, vous n'étiez qu'une célébrité parmi d'autres dont on parlait dans les magazines.

Notre commande arriva sur ces entrefaites. Rouleaux de thon épicé et d'anguille pour moi. Sushis *nigiri* pour lui.

Je mélangeai de la sauce soja et du wasabi dans un bol.

— Peu après, votre photo a paru dans la presse, je ne sais plus à quel sujet, repris-je. Bref, Samantha était passée me voir pendant que je lisais le journal. Je vous trouvais très séduisant et je me demandais qui se cachait derrière les apparences, lui avais-je confié.

— Samantha?

J'engouffrai un rouleau, mastiquai et avalai.

— Une amie. Je ne l'avais pas vue depuis un bout de temps. Elle et son fiancé avaient participé à une fête ou je ne sais quel rassemblement de dominants et soumis. Ils étaient amateurs.

— Je vois, dit-il. J'y étais.

— Je sais. C'est elle m'a appris que vous étiez un dominant. Elle a aussitôt regretté d'avoir trop parlé et elle m'a fait jurer de garder le secret. Je ne l'ai dit à personne, sauf à Félicia quand je l'ai estimé nécessaire. Samantha m'avait conseillé de ne pas croire au prince charmant avec vous.

— Vous en rêviez?

— Pas du tout. Au contraire, je me voyais attachée à votre lit, jouissant sous les coups de fouet que vous m'infligiez.

C'était son tour de s'étrangler avec son thé.

— Vous l'avez cherché.

Il éclata de rire, s'attirant les regards surpris de plusieurs convives.

— Touché!

Je fixai mon assiette pour éviter de croiser son regard.

— J'ai longtemps fantasmé à votre sujet, dis-je une fois la curiosité de nos voisins retombée. Et puis j'ai commencé à me renseigner discrètement auprès du cercle d'amis de Samantha. On m'a soufflé le nom de M. Godwin. J'ai attendu plusieurs mois avant de me lancer. Je savais que je finirais par l'appeler, c'était toujours mieux que…

— L'insatisfaction sexuelle, acheva-t-il à ma place.

Je le regardai en face.

— L'insatisfaction tout court, en ce qui me concerne. J'étais incapable d'avoir une relation normale avec un homme. C'était tout simplement impossible.

Il sourit d'un air entendu, comme s'il comprenait exactement ce que je voulais dire.

— Il y a divers degrés de normalité, je crois, dit-il. C'est une notion vague, définie en fonction de chacun.

— Pour ma part, j'ai fait ce que tout le monde considère comme normal, et c'est à mourir d'ennui.

— Différentes saveurs, répéta-t-il en me dévisageant avec attention. Et elles peuvent toutes être délicieuses si elles sont partagées avec la bonne personne. Qui peut dire ce qui est normal ou pas?

— Vous avez essayé d'entretenir une pseudo-relation normale avec Mélanie, n'est-ce pas?

— Oui, et ç'a a été un fiasco total. Pour plusieurs raisons: Mélanie n'est pas de nature soumise et je ne pouvais pas lutter contre mes penchants de dominant. Elle refusait d'admettre que cela ne fonctionnait pas entre nous. Je ne l'avais pas compris.

— Elle est complètement guérie maintenant, si vous voulez mon avis.

Il sourit.

— Tant mieux. Et vous?

Si j'étais guérie de lui?

— Non, murmurai-je.

— Dieu merci.

Il allongea le bras pour me prendre la main par-dessus la table.

— Moi non plus.

Nous demeurâmes ainsi quelques secondes, doigts enlacés, les yeux dans les yeux.

Du pouce, il me caressa la paume.

— Je mettrai tout mon temps et mon énergie à regagner votre confiance, Abby, si vous acceptez.

J'avais envie de lui sauter au cou en criant de joie, mais je me retins.

— Oui, répondis-je sobrement.

Il me pressa la main avant de la lâcher.

— Merci.

— Savez-vous préparer les sushis? demandai-je pour alléger l'atmosphère au moment où le serveur s'approchait pour nous resservir du thé.

— Non, mais je ne demande qu'à apprendre.

— Nous donnons des cours le jeudi soir à dix-neuf heures, intervint l'employé.

Je jetai un regard interrogateur à Nathaniel. Pourquoi ne pas essayer d'établir une relation normale? Nous comporter comme un couple « ordinaire »? Sans rien attendre de l'autre? Le temps qu'il regagne ma confiance?

Il me regarda droit dans les yeux, comme pour dire que c'était à moi de prendre les choses en main.

— D'accord, nous viendrons, décidai-je.

— Kyle m'a invité au spectacle de son école samedi prochain, dit-il alors que nous quittions le restaurant. Aimeriez-vous m'accompagner?

Un nouveau rendez-vous? Étais-je prête?

Quelle question !

— À quelle heure?

— Je viendrai vous prendre vers dix-sept heures et nous irons dîner quelque part avant.

Il viendrait me chercher chez moi pour m'emmener dans sa voiture? Quelle merveilleuse idée!

— Très bien, c'est noté.

Ce samedi-là, j'étais dans un état de fébrilité extrême. Félicia était passée avant d'aller rejoindre Jackson, et je n'avais jamais été aussi heureuse de la voir repartir. Son sourire extatique, la satisfaction béate qu'elle affichait étaient carrément insupportables. Elle avait l'air très contente d'elle-même, comme si elle avait tout manigancé.

Nathaniel se présenta à l'heure dite. Je ne l'invitai pas à entrer, c'était encore trop tôt.

Le dîner se déroula exactement comme prévu. Il se comportait en parfait gentleman et la conversation allait bon train. Il accepta mon invitation à la prochaine soirée poésie de la bibliothèque. Puis la discussion tourna autour de Félicia, Jackson, Elaina, Todd, ainsi que la fondation médicale de sa tante.

Le spectacle était réjouissant. Kyle faisait partie du chœur. Il n'y tenait pas un grand rôle, mais il y mettait beaucoup d'enthousiasme. Nathaniel rayonnait chaque fois que son petit protégé apparaissait sur la scène. Je me demandais ce qu'il devait ressentir après lui avoir sauvé la vie comme il l'avait fait, sachant que c'était grâce à lui que le jeune garçon se tenait là, devant nous.

Nathaniel garda ses distances toute la soirée. Il veillait à éviter un contact fortuit entre nous – nos coudes ne se frôlaient pas, nos genoux ne se touchaient pas. Il faisait de son mieux pour ne pas me mettre sous pression, et j'appréciais sa délicatesse.

Entre nous, l'air semblait chargé d'électricité, mais nous nous efforcions de l'ignorer.

Après la pièce, il me présenta à Kyle et à ses parents. Je réprimai un sourire en voyant la vénération dont le jeune garçon entourait son mentor.

Seul bémol : lorsqu'il me raccompagna chez moi.

— Merci, pour cette excellente soirée, dis-je en me demandant s'il allait essayer de m'embrasser.

Il me prit la main et la pressa entre ses doigts.

— Tout le plaisir était pour moi. La fête n'aurait pas été aussi réussie sans vous. On se voit jeudi soir, Abby.

Je crus qu'il allait ajouter quelque chose, mais il se contenta de sourire avant de faire volte-face et s'éloigner.

Non, il n'avait pas l'intention de m'embrasser.

Il me laissait l'initiative.

Et je n'avais pas envie qu'il s'en aille déjà.

— Nathaniel ! appelai-je.

Il se retourna et m'enveloppa de son regard sombre, brûlant, tandis que j'avançai. D'une main, je lui caressai la joue, enfonçant l'autre dans ses cheveux pour attirer sa bouche contre la mienne.

— Embrassez-moi. Un vrai baiser.

D'un doigt, il me souleva le menton et posa ses lèvres sur les miennes.

— Oh, Abby, murmura-t-il d'une voix rauque.

Il m'embrassa avec tendresse. Ses lèvres étaient douces et fermes, exactement comme dans mon souvenir. Je m'abandonnai à son étreinte et il enroula ses bras autour de moi.

Je taquinai sa bouche de ma langue. Il lâcha un soupir et me plaqua plus étroitement contre lui. Puis il entrouvrit les lèvres et aspira les miennes. C'était divin.

Il intensifia son baiser, comme s'il y déversait pêle-mêle les sentiments qu'il éprouvait pour moi.

Il disait tout. L'amour, les regrets, la passion, le manque.

Je fus immédiatement propulsée au bord de l'extase. Ses bras qui m'enlaçaient, ses doigts errant le long de mon dos. Sa bouche. Sa saveur. Son odeur.

Lui.

36

Nous nous étions revus souvent au cours des semaines suivantes. Je n'avais aucune raison d'être anxieuse, tout s'était déroulé comme sur des roulettes : la soirée poésie à la bibliothèque, l'atelier sushi, en plus de deux dîners en compagnie de Félicia et Jackson.

Nathaniel et moi commencions petit à petit à tisser des liens fondés cette fois sur la sincérité et une compréhension mutuelle. Pour le reste, il hésitait encore à dépasser le stade du baiser. Il embrassait divinement. Un seul de ses regards suffisait à me faire battre le cœur. Et quand ses lèvres caressaient les miennes…

Un jeudi après-midi, trois semaines après le spectacle de Kyle, il vint à la bibliothèque pour m'inviter à dîner le lendemain. Chez lui.

— Pour voir Apollon, s'empressa-t-il de préciser. Vous lui manquez. Quand il sent votre odeur sur moi, il…

Je l'arrêtai d'un geste.

— J'accepte avec joie. Il m'a manqué à moi aussi.

Il me remercia d'un sourire.

Le dîner ne fut pas aussi étourdissant que je pensais. Apollon m'attendait devant la porte, comme s'il guettait mon arrivée. Il me fit fête et faillit me faire tomber quand je descendis de voiture.

Nathaniel parut, s'essuyant les mains dans un torchon.

— Apollon, arrête, gronda-t-il. Excusez-le, Abby, il a été surexcité toute la journée !

Je gravis les marches pour le rejoindre.

— Dans ce cas, nous sommes deux. Qu'y a-t-il de bon à manger ?

Il s'inclina pour m'embrasser.

— Du poulet au miel et aux amandes, répondit-il, l'œil brillant.

— Mmm, j'adore…

— Entrez, c'est bientôt prêt.

La viande était aussi tendre et savoureuse que dans mon souvenir. Le dîner se déroula entre plaisanteries et joyeux bavardages. Apollon ne me lâchait pas, le plus souvent couché à mes pieds.

Une fois le repas terminé, Nathaniel se leva et emporta les assiettes dans l'évier.

— Laissez-moi vous aider, dis-je.

— Non, vous êtes mon invitée.

— J'insiste.

Il se mit à laver la vaisselle que j'essuyai au fur et à mesure. Cela me rappela le fameux week-end quand nous étions coincés par la neige, les tâches partagées, les fous rires.

Lorsque ce fut terminé, j'inspectai le plan de travail puis me tournai vers lui.

— Nathaniel…

— Abby…, coupa-t-il.

Grand éclat de rire général.

— Vous d'abord, dis-je.

Il s'approcha et me prit la main.

— Je voulais vous remercier d'être là ce soir. Apollon n'a pas été aussi calme depuis longtemps.

— J'en suis ravie, mais ce n'est pas la seule raison de ma présence.

Il me caressa les doigts.

— Je sais.

Je me serrai contre lui.

— Je suis foncièrement égoïste, vous savez.

Il leva la main et promena l'index le long de ma mâchoire.

— Pas du tout. Tu es douce, tendre, généreuse et…

— Nathaniel, je…

Il posa un doigt sur mes lèvres.

— Chut. Laisse-moi finir.

J'inspirai un grand coup et patientai.

— Tu m'apportes tellement de bonheur. Avec toi, je me sens enfin moi-même. Je t'aime, Abby, ajouta-t-il dans un murmure.

J'oubliai de respirer.

— Je t'aime aussi…

Il gémit et me prit dans ses bras. Il m'embrassa avec toute la fougue contenue depuis des semaines, ses lèvres meurtrissant les miennes.

J'enroulai une main autour de son cou, agrippai ses cheveux de l'autre et inclinai la tête pour l'attirer plus près.

Ses lèvres glissèrent sur ma joue jusque derrière mon oreille. Je sentis son souffle chaud dans mon cou.

— Si tu me dis d'arrêter, Abby, je le ferai.

Je fermai les paupières.

— Non… continue…

Ses mains dérivèrent sur mes bras et ma peau se hérissa quand il se mit à mordiller mon lobe.

— Ne pense pas que j'avais une idée derrière la tête, ce soir. Je n'ai pas l'intention de te forcer.

Je le croyais. Il n'insisterait pas si je lui disais d'arrêter et nous continuerions à deviser agréablement le reste de la soirée. Après quoi, il me donnerait un baiser fougueux en guise d'au revoir. Comme ces dernières semaines.

À moins que…

Je le repoussai avec un sourire. Il eut l'air surpris. Visiblement, il ne s'y attendait pas.

Je lui tendis la main.

— Viens.

Je lui pris le bras et l'entraînai vers l'escalier menant à sa chambre. Mes yeux s'embuèrent à la vue du lit qui me rappelait tellement de souvenirs. Mais il y en aurait d'autres…

Il m'effleura la joue, se pencha et m'embrassa. Sa langue caressa la mienne avec gourmandise. On aurait dit qu'il ne pourrait jamais s'en rassasier.

Brusquement, il s'écarta.

— Laisse-moi t'aimer.

Il me porta jusqu'au lit et m'allongea sur le dos avec une infinie douceur.

Il se mit à butiner mes lèvres et à alterner avec de petits baisers taquins, provoquant une fièvre dévorante dans tout mon corps. Sachant ce que je désirais et ce qu'il voulait, il nous faisait languir tous les deux. À la fin, il saisit mon visage entre ses mains et sa langue plongea dans ma bouche, goulue, exigeante.

Une éternité plus tard, ses lèvres se détachèrent des miennes et il me dévora d'un regard avide de la tête aux pieds.

— Je pourrais t'embrasser des heures sans me lasser. Mais le reste est tout aussi délectable.

Il déboutonna mon corsage qu'il fit glisser sans hâte sur mes épaules. J'arquai le dos avec impatience et, quelques secondes plus tard, ma jupe suivait le même chemin. Sa bouche affamée vint se poser dans mon cou.

Il s'empara de ma main et l'appuya sur sa poitrine.

— Ton cœur bat à se rompre. Tu veux sentir le mien?

On aurait dit qu'il était au bord de l'explosion à travers sa chemise.

Incapable de me retenir, j'en attrapai le bas pour la faire passer par-dessus sa tête. Je voulais le sentir. Sur moi. Sous moi. En moi. N'importe où. Je promenai mes mains partout pour redécouvrir son corps: son torse ferme, la force de ses bras. Son désir brûlant. Et pour la première fois, l'amour que je lisais au fond de ses yeux.

Sa bouche erra un peu plus bas, puis il porta mon bras à ses lèvres.

— Tu vois, là, le creux du coude, c'est une partie du corps qu'on oublie trop souvent, expliqua-t-il en parsemant de petits baisers cette parcelle de peau si sensible. Négliger ce mets savoureux serait un péché impardonnable.

Il se mit me lécher avec application, envoyant des éclairs fulgurants dans tout mon corps. Je n'eus pas le temps de reprendre mon souffle que déjà il me mordillait délicatement.

J'émis un feulement rauque.

Il me décocha un sourire diabolique.

— Et ce n'est qu'un début. Tu n'as encore rien vu.

De ses lèvres, il traça un chemin de feu sur ma clavicule, puis plus bas, entre mes seins. Ensuite, ses mains agiles me débarrassèrent de mon soutien-gorge qu'il jeta au sol.

— Ils sont parfaits. Juste de la bonne taille. Et quand je fais cela — il se mit à pétrir un téton entre ses doigts – j'aime te sentir trembler d'excitation.

Il me connaissait si bien.

— Ils ont un goût délicieux, tu sais?

— Non, pas vraiment.

Il courba la tête et aspira mon mamelon dans sa bouche, enroulant l'extrémité de sa langue tout autour.

— C'est vraiment dommage.

Je me cambrai désespérément tandis qu'il approfondissait ses succions.

— Encore…, chuchotai-je, gémissante.

Il poursuivit cette délicieuse torture, ses dents envoyant des décharges électriques par tout mon corps.

— Tu es si réceptive.

Je sentis son haleine tiède sur mon autre sein tandis qu'il en caressait le doux renflement de ses lèvres. Sa langue se faufila jusqu'au petit bourgeon dur qu'il se mit à tripoter entre ses doigts.

— Voyons voir si celui-ci est aussi délicieux que son jumeau, ronronna-t-il en refermant les dents dessus.

Les yeux clos, je flottai dans une brume de plaisir, ayant perdu la notion du temps pendant qu'il jouait avec mes seins : tétant, frottant, suçotant. À un moment donné, je me cramponnai à ses cheveux pour plaquer sa bouche sur la mienne et il grogna quand j'insinuai ma langue entre ses lèvres. Je me déhanchai pour mieux m'offrir à lui dans un besoin douloureux de contact. J'avais envie qu'il me pénètre. Tout de suite.

— Attends, susurra-t-il contre mes lèvres. Le meilleur est à venir.

Ses mains s'activèrent sur mon ventre, allumant un incendie sous ma peau. Mes doigts fourragèrent dans ses cheveux pendant que je changeais de position de façon à me frotter contre son érection.

Il défit la ceinture de mon pantalon, puis sa langue s'acharna sur mon nombril avant d'y plonger hardiment.

— Une autre partie du corps trop souvent délaissée, reprit-il. Sais-tu combien de terminaisons nerveuses se trouvent à cet endroit?

Je l'ignorais, mais je ne doutai pas qu'il ferait vibrer chacune d'entre elles.

Avec une lenteur calculée, il déboutonna mon pantalon, le baissa sur mes hanches puis le long de mes jambes.

Je m'en libérai d'un coup de pied et me redressai.

— À mon tour, dis-je.

Je l'allongeai sur le dos et retirai son pantalon et son caleçon dans un même élan. Je pris tout mon temps pour explorer son corps — ses pectoraux, son ventre plat, sa toison bouclée qui s'affinait sous…

— Abby, soupira-t-il tandis que mes mains s'aventuraient plus bas et taquinaient son pénis.

— Retourne-toi, dis-je pour me permettre d'admirer les courbes de son dos: la peau fine entre ses omoplates et les deux petites fossettes au-dessus de ses fesses fermes.

Je déposai une traînée de baisers depuis le creux de sa nuque jusqu'au bas de ses reins, me délectant des frissons qui le secouaient. Puis ma langue rebroussa chemin pendant que mes mains s'affairaient sur son corps parfait.

Il était à moi.

Il se retourna et me fit pivoter face à lui.

— Je ne sais plus où j'en suis, susurra-t-il. Je vais devoir tout recommencer depuis le début.

Il reprit possession de ma bouche et m'embrassa à me faire perdre la raison tout en promenant ses doigts le long de mes bras.

Il déposa un petit baiser sur mes lèvres, un deuxième dans mon cou, un troisième dans le creux de mon coude et caressa mon nombril avant de s'occuper de mes seins tour à tour.

— Voilà, je me rappelle, conclut-il en descendant les mains sur mes hanches, survolant l'endroit douloureusement sensible où je rêvais de le recevoir. Ah oui, j'en étais là, conclut-il en attrapant mon genou.

Mon genou?

— C'est une zone érogène pour beaucoup de gens, claironna-t-il.

Moi, j'avais l'impression que mon corps tout entier était devenu une zone érogène.

Il me chatouilla le dessus du genou de ses lèvres pendant que ses doigts caressaient le côté pile. Puis il saisit ma jambe et entreprit d'embrasser la peau veloutée à l'arrière du genou. Je m'abandonnai au plaisir. C'était délicieux. Il s'attaqua à l'autre, me léchant et m'embrassant tant et plus.

Je gigotai fiévreusement en gémissant.

— Plus haut, je t'en prie…

Il fit la sourde oreille et descendit plus bas, déposant un doux baiser à l'intérieur de mes chevilles. Il poursuivit son chemin, souleva mes chevilles l'une après l'autre, embrassa chacun de mes orteils puis la plante de mes pieds.

Il me lança un petit sourire satisfait.

— J'ai l'impression d'avoir oublié quelque chose. Je me demande bien quoi.

J'écartelai mes cuisses en remuant les hanches, histoire de lui rafraîchir la mémoire.

— Un homme intelligent comme toi? Je suis sûre que ça va vite te revenir.

Il émit un grognement rauque qui fit courir des vibrations le long de mon épine dorsale. Alors il grimpa sur le lit, arracha ma culotte et hissa mes jambes sur ses épaules. Je soulevai instinctivement le bassin quand sa langue se posa sur ma fente palpitante qu'il se mit à lécher avec ferveur.

— Mmm, que c'est bon, Abby, un pur bonheur.

Oh seigneur…

Il élargit mes replis moites de ses doigts experts.

— Maintenant que je me suis occupé de ta bouche, je pourrais passer des heures à te cajoler, te dorloter, m'abreuver à ta chatte si douce.

Je sentis sa langue dure s'enfoncer d'une poussée vigoureuse dans ma chair ruisselante.

Cela durait depuis trop longtemps, il m'affolait depuis trop longtemps. Je me cabrai, mon sexe se contracta et l'orgasme qui enflait en moi me foudroya avec une force inouïe.

Il déposa un chapelet de baisers sur mon clitoris pendant que ses doigts me chatouillaient sensuellement entre les cuisses. Il ôta mes jambes de ses épaules et les reposa délicatement sur le lit

— Je n'en ai pas fini avec toi, déclara-t-il d'une voix étranglée.

Je le regardai ramper sur le lit pour s'allonger sur moi, tel un gros puma. C'était merveilleux de sentir son corps peser sur le mien. Il pressa son sexe à l'orée du mien, puis il me saisit les mains, entremêlant mes doigts aux siens.

Il me couva d'un regard brillant d'amour et de désir tandis qu'il me pénétrait enfin.

— Toi et moi, Abby. Rien que nous deux.

Je prononçai son nom avec délectation.

— Nathaniel…

Il se pencha, m'embrassa à pleine bouche, il s'empara de mes mains et les cloua au-dessus de ma tête tout en coulissant toujours plus loin.

Je ravalai un gémissement tandis qu'il se plantait profondément en moi. Il se retira sans me quitter des yeux avant de revenir, m'imposant un rythme lent et sensuel.

J'étais terrassée par les sensations.

Je n'avais rien oublié.

Ma chair qui se détendait. Le poids de son corps. Cet instant d'intense communion.

Ses doigts se crispèrent sur les miens lorsqu'il s'enfonçait encore. Il se retenait pour faire durer le plaisir. Se poussant en douceur, allant et venant, s'attardant jusqu'au moment où, devinant la faim qui me dévorait, il se glissa jusqu'au fond de mes cuisses.

J'arquai le dos pour l'engloutir le plus loin possible. Ses muscles tendus, son front baigné de sueur trahissaient ses efforts pour se contrôler.

— S'il te plaît… Nathaniel… maintenant.

Il me pilonna plus vite, plus fort, mais ce n'était pas encore assez. Je libérai mes mains de leur étau et attirai avec force sa tête vers la mienne, enroulant mes jambes autour de sa taille. Survoltée, j'allais à la rencontre de chaque pénétration et lâchai un gémissement lorsqu'il logea sa queue raide au plus profond de moi.

C'était encore trop lent.

Je lui labourai le dos de mes ongles en lui mordillant l'oreille.

— Vas-y, Nathaniel, baise-moi.

Il grogna et s'écarta pour mieux replonger, me défonçant à grands coups de boutoir.

Je sentis des fourmillements délicieux naître entre mes jambes.

Sa poitrine se souleva lorsqu'il me reprit brutalement. Je rejetai la tête en arrière et plantai mes doigts dans son dos.

— Oh bon Dieu, Abby!

Il poursuivit avec la même frénésie, glissa une main entre nos corps et frotta mon clitoris contre sa paume.

— Je…, je… bredouillai-je.

Il m'emporta encore plus haut, plus loin, me propulsant au bord de l'orgasme. Je laissai échapper un cri lorsqu'il s'ancra profondément en moi encore et encore, et j'explosai en mille morceaux alors qu'il accélérait toujours la cadence.

Sa queue frémit au plus profond de moi. Une dernière poussée, et il ne bougea plus, le corps secoué de spasmes. Le mien réagit au quart de tour quand il expulsa sa semence en moi.

Il s'effondra, la respiration hachée. Je sentis son cœur cogner contre sa poitrine tandis qu'il tentait de reprendre son souffle.

Il releva la tête et m'embrassa.

Plus tard, quand il retrouva l'usage de ses jambes, il se glissa hors du lit et se dirigea vers la commode. Je roulai sur le côté pour mieux voir son corps nu tandis qu'il ouvrait les tiroirs et allumait des bougies pour dissiper l'obscurité, à la nuit tombée.

La lumière vacillante projetait des ombres dansantes sur sa peau. Je me rallongeai sur le dos lorsqu'il me rejoignit. Il m'attira contre lui, ma tête reposant au creux de son épaule.

Il déposa un baiser sur mon front.

— Je n'avais rien prémédité ce soir, je t'assure.

Je me blottis dans ses bras.

— Je suis tellement heureuse, si tu savais.

Il resserra son étreinte autour de moi.

— Écoute, je sais que ce n'était pas prévu, mais veux-tu rester avec moi cette nuit? Dans mon lit? ajouta-t-il en s'écartant pour me regarder, les yeux brûlants.

Dans son lit.

Une larme roula le long de ma joue.

— Nathaniel…

Il l'effaça du bout du doigt.

— S'il te plaît. Reste cette nuit.

Je me jetai à son cou et l'embrassai.

— D'accord, dis-je entre deux baisers. Mais il nous reste des heures avant de penser à quelque chose d'aussi prosaïque que dormir, ajoutai-je en le repoussant sur le lit. Donc pour l'instant – je traçai le contour de ses lèvres de l'index – je vais commencer par ta bouche.

Il laissa échapper un sourd grognement.

Tandis que nous remettions à bouger ensemble, j'eus deux certitudes :

Nathaniel m'aimait.

Et un jour, très bientôt, je reporterais son collier.

Je fus réveillée par une pluie de baisers dans mon cou. Des lèvres traçaient un sillon brûlant sur ma nuque et ma mâchoire jusqu'à mon oreille. Deux semaines s'étaient écoulées depuis ma première nuit dans son lit et, chaque fois que je restais dormir chez lui, Nathaniel me tirait du sommeil de la plus exquise manière.

Je sentis son haleine chaude me chatouiller.

— Bonjour, murmura-t-il.

Je me glissai dans le creux de ses bras. Ouvrir les yeux sous ses baisers était divin. La meilleure façon de commencer la journée.

— Le petit déjeuner, dit-il.

De mieux en mieux. Là, c'était carrément le paradis.

— Tu m'as apporté quoi? demandai-je en me redressant, alléchée.

— Moi, dit-il en m'embrassant sur une joue. Encore moi, ajouta-t-il en m'embrassant sur l'autre. Toujours moi, acheva-t-il en frôlant mes lèvres.

J'en voulais encore. J'étais insatiable. Mais aujourd'hui était un grand jour pour nous et notre relation. Je me sentais d'humeur joueuse…

Je m'arrachai à son étreinte.

— Si c'est tout ce que tu as à me proposer…

Deux bras puissants me rattrapèrent et je gloussai quand il me plaqua contre lui.

— Si tu as envie de nourritures terrestres, je t'ai préparé une omelette.

J'effleurai son torse de mes doigts.

— Non, merci. Tout bien réfléchi, c'est toi que je veux.

Il se leva pour aller chercher un plateau sur la commode qu'il déposa devant moi.

— Mange vite, ça va refroidir.

— Et toi?

Il se pencha pour m'embrasser encore une fois.

— J'ai déjà déjeuné. Je vais être en retard au bureau. Comme toi, d'ailleurs.

J'esquissai une grimace tandis qu'il se dirigeait vers la salle de bains en retirant son pantalon en chemin.

J'oubliais parfois à quel point Nathaniel était vulnérable. Il prenait la vie trop au sérieux. Et même si notre relation s'était approfondie à un point que je n'aurais jamais imaginé en quelques semaines, je percevais des bribes de sa fragilité par-ci par-là.

Il avait besoin de légèreté pour apprendre à se dérider.

J'attaquai l'omelette au cheddar. Un délice. Baveuse à souhait. Chaque bouchée me transportait au septième ciel.

Au bruit de l'eau, mes pensées revinrent à Nathaniel. Nu, sous la douche.

Le jardin des délices.

Je liquidai l'omelette, avalai le jus d'orange fraîchement pressé et rapportai le plateau sur la commode avant de me diriger vers la salle de bains.

Elle était si vaste qu'elle aurait pu contenir mon deux-pièces. On aurait même pu organiser une petite soirée rien que sous la douche. Dire que nous ne l'avions encore jamais partagée. Elle était équipée d'une pomme double intégrée au plafond et de six jets latéraux. Chaque fois que je l'utilisais, je devais me faire violence pour en sortir. Alors avec Nathaniel en plus, j'étais quasiment sûre d'arriver en retard au travail.

Après tout…

Je me débarrassai de ma nuisette et la laissai tomber par terre. Il me tournait le dos et ne pouvait rien entendre à cause du crépitement de l'eau sur le carrelage.

Je me brossai les dents en vitesse, ouvris la porte et me glissai dans la cabine environnée de vapeur. Quand il se retourna, je m'approchai sans mot dire et nouai mes bras autour de son cou. Nos lèvres se joignirent.

— Rebonjour, dis-je tout contre sa bouche.

— Tu as déjà terminé ton petit déjeuner? Tu n'as pas aimé?

Je faillis rétorquer : *Enfin, Nathaniel, tu crois vraiment que je suis venue te retrouver sous la douche pour me plaindre de ta cuisine ?*

— Effectivement, il manquait quelque chose.

— Ah ? Dans l'omelette ?

— Non, c'est toi, fis-je en l'embrassant sur une joue. Encore toi, poursuivis-je en embrassant sur l'autre. Toujours toi, ajoutai-je en écrasant ma bouche sur la sienne.

— Crois-tu que ce soit le moment ?

— Si j'étais raisonnable, je te dirais non.

Il versa un peu de savon liquide dans le creux de sa main. Quelques minutes plus tard, j'étais couverte de mousse de la tête aux pieds.

— Nous en avons déjà longuement discuté, dit-il tandis que je me rinçais sous le jet. J'aimerais qu'on reprenne le jeu, poursuivit-il, son regard rivé au mien, les mains sur mes épaules. Nous ne sommes pas obligés de commencer dès ce week-end, tu sais.

À mon tour, j'enduisis mes paumes de gel et les promenai le long de ses bras.

— Bien sûr que si, j'en meurs d'envie. Je n'aurais jamais cru cela possible. Je n'aimerais pas le faire avec quelqu'un d'autre mais… je comprends un peu mieux à présent pourquoi tu voulais me faire connaître d'autres hommes.

Il me plaqua contre lui.

— Merci, murmura-t-il, la tête enfouie dans mes cheveux.

Nous restâmes emboîtés l'un dans l'autre, tandis que les derniers vestiges des réticences et de la culpabilité passées s'effaçaient pour laisser place à l'avenir. Il se détacha et inclina la tête vers moi. Sa langue impérieuse taquina le coin de ma bouche avant de se faufiler entre mes lèvres. Éperdue, je

chavirai, emportée par le torrent d'émotions qui se déchaî-
naient en moi.

C'était trop intense, presque insupportable.

Je geignis lorsque le baiser prit fin.

— Tu as senti ça?

Je me contentai d'acquiescer, incapable d'articuler une
parole.

Ses lèvres s'incurvèrent en un petit rictus satisfait.

— Viens par là, dit-il en m'entraînant dans un angle de la
douche.

Il actionna un bouton pour arrêter la pomme de tête et
déclencher les jets latéraux.

Il attrapa ma jambe droite et la haussa sur le banc en
carrelage.

Sa main remonta entre mes cuisses.

— Tu es sale, là, très sale.

Sale?

J'étais déroutée. Il le remarqua.

— Tu te rappelles? murmura-t-il, tandis que ses doigts
frôlaient mon antre humide.

Oh…

Je souris. Je me revoyais la nuit dernière, empalée sur lui,
cramponnée au montant du lit pour garder l'équilibre.

Je tendis la main et empoignai son membre raidi.

— Oui, ça me revient maintenant.

— Tant mieux. Si tu avais oublié, j'aurais probablement
sombré dans une profonde déprime.

Je resserrai mon étreinte.

— Il n'y a qu'une chose que j'aimerais voir sombrer profondément là.

— Abby…, lâcha-t-il en se poussant contre ma main.

J'étais à fleur de peau.

— Maintenant, Nathaniel. Je te veux maintenant.

Il interrompit ses va-et-vient.

— Toujours aussi impatiente, ma chérie. Tu dois apprendre à savourer le plaisir.

Ce diable d'homme était incorrigible.

— Ça attendra plus tard. Je croyais que tu étais pressé.

Ses lèvres s'étirèrent en un lent sourire.

— Oui, avant que tu me rejoignes sous la douche.

— On va être en retard, insistai-je, sachant pertinemment que je gaspillais ma salive puisqu'il possédait sa propre affaire et n'avait de compte à rendre à personne.

— Je vais te faire un mot d'excuse, me susurra-t-il à l'oreille.

Je tournai la tête pour coller ma bouche contre la sienne.

— Ah oui?

— Chère Martha, veuillez excuser le retard d'Abigaïl King ce matin…

— Tu n'oseras pas?

Il posa un doigt sur mes lèvres pour me réduire au silence.

— Elle a été empêchée par un événement indépendant de sa volonté, poursuivit-il, un petit problème de plomberie survenu dans ma salle de bains.

Il se remit à aller et venir dans le creux de ma main.

— Ce n'est pas drôle, si tu veux mon avis.

Ses hanches s'immobilisèrent.

— Ah bon? Je pensais que ce n'était pas mal pour une petite blague sur le pouce. En plus, Martha et moi, nous sommes comme cul et chemise, c'est le cas de le dire, d'ailleurs.

— Ce n'est pas parce qu'elle ferme les yeux sur tes visites du mercredi qu'elle t'a à la bonne.

— Je pense que si, au contraire. Rappelle-moi de lui envoyer un mot de remerciement. Enfin, on verra ça plus tard, ajouta-t-il en se frottant de nouveau lascivement entre mes doigts.

De ma main libre, je me mis à malaxer ses bourses et quelques secondes après, j'avais complètement oublié Martha, le travail et le reste, tellement j'étais en feu.

Il reprit ma bouche avec une grande douceur, enroba mes seins qu'il pressa l'un contre l'autre. Puis il plongea sur mon téton et se mit à laper les gouttes avec empressement.

— Je suis jaloux de l'eau, parce qu'elle peut te toucher partout en même temps, dit-il entre deux vigoureuses succions.

Je renversai la tête contre le mur, lâchant sa verge qui se dressait entre nous.

Il m'attira plus près et enfonça deux doigts en moi. Je gémis et nouai mes jambes autour de sa taille, m'asseyant presque sur lui. Il imprima à ses doigts un mouvement de va-et-vient, malmenant mon clitoris à vif du pouce.

Et comme si ce n'était pas assez, il se mit à déclamer :

Timide, la timide
Jeune fille de mon cœur,
Dans la lueur du feu
Se déplace l'air songeur.

Elle apporte les plats,
Et les met sur l'étagère
J'irais bien, elle et moi,
Dans une île de la mer.

Et timide comme un lièvre,
Serviable et timide.
Je volerais, elle et moi,
Dans une île de la mer.

Ses mains s'activaient toujours en accélérant le tempo jusqu'à me rendre folle de désir, si bien que lorsqu'il récita le dernier vers de Yeats, je crus m'envoler à mon tour. L'orgasme déferla entre mes cuisses, faisant vibrer tout mon corps comme la corde trop tendue d'un violon.

Il fourra sa queue entre mes jambes, juste à l'entrée de ma fente.

— J'aime te regarder quand tu jouis. Ça me fait bander.

Il s'enfouit en moi et je hoquetai quand il me prit plus fort, plus loin. J'eus à peine le temps de me remettre de mon premier orgasme que je surfai déjà sur le deuxième.

— Je veux que tu jouisses en même temps que moi, Abby, dit-il en augmentant la pression.

J'adorais le sentir me remplir complètement, nos deux corps emmêlés. J'enroulai mes bras autour de sa taille, les ongles plantés dans son échine.

— Oui…, fit-il dans un râle.

Je resserrai mon étreinte tandis que, survoltée, je sentais venir les violentes secousses d'un deuxième orgasme. Il plaqua les mains de chaque côté de ma tête et redoubla d'efforts, me défonçant comme un forcené.

— Je ne veux pas que ça s'arrête, dit-il, en me pilonnant rudement. Je ne veux plus te quitter. Je ne m'en lasserai jamais.

Mon dos dérapa sur le carrelage tandis qu'il me baisait de plus belle, mais je m'en moquais.

Ses dents éraflèrent ma nuque et il glissa une main entre nous.

— Tu sens? Nous? Moi? Oh, que c'est bon…

Quand du bout des doigts, il se remit à agacer mon clitoris, je sentis mon corps se tétaniser et laissai échapper un gémissement qui enfla en cri de plaisir. Alors il ploya les genoux, s'arc-bouta de toutes ses forces et je me laissai happer dans une spirale de plaisir. Après une ultime poussée, il s'immobilisa et explosa à son tour.

Il s'affaissa contre moi, à bout de souffle.

Le ruissellement de l'eau nous ramena doucement à la réalité. Je l'entendis pester au creux de mon épaule.

— Qu'y a-t-il?

— Il va falloir que je reprenne une douche.

37

— Mademoiselle King, monsieur West va vous recevoir, annonça l'hôtesse.

Je me levai et me dirigeai vers la porte en bois foncé. Mon cœur s'emballa, même si je savais qui m'attendait derrière cette porte close. Je connaissais cet homme et je l'aimais.

C'était vendredi soir et je m'étais rendue à son bureau de mon propre chef. Nathaniel n'en voyait pas l'intérêt, mais il avait fini par céder.

Je poussai le battant, entrai et glissai un œil dans sa direction. La tête baissée, il pianotait sur son ordinateur. Je refermai la porte et avançai au milieu de la pièce.

Je me tenais exactement de la même façon que quelques mois plus tôt : les pieds écartés de la largeur de mes épaules, la tête baissée, les bras ballants.

Il tapait toujours sur son clavier.

Nous avions passé les deux dernières semaines à peaufiner notre nouvel accord. Nous en avions âprement négocié

les termes autour de la table de la cuisine. Nous avions re-
poussé les limites, redéfini les codes secrets et adopté les
nouvelles règles du jeu. Nous avions convenu de nous y livrer
du vendredi soir au dimanche après-midi et de nous comporter normalement le reste du temps.

La première dispute avait éclaté à propos du collier.
J'aurais aimé ne jamais l'enlever, mais Nathaniel n'était pas
de cet avis.

Je ne voyais pas pourquoi modifier nos habitudes.

— Avant, je le portais tous les jours, raisonnai-je,

— Peut-être, seulement les choses ont changé.

— Je ne dis pas le contraire, mais le porter continuelle-
ment est une façon d'entretenir les liens qui nous unissent.

— Je comprends, mais si je peux te donner un bon conseil
tiré de mon expérience...

— Tu ne vas pas me refaire le coup de l'expérience?

— Si.

Je m'avachis sur ma chaise, vaincue.

— Abby, écoute. Que tu le veuilles ou non, ce collier influence tes dispositions d'esprit et je ne veux pas te voir dans
cet état pendant la semaine. Si je te propose de choisir entre
des petits pois ou des carottes pour le dîner, le mardi soir,
par exemple, j'aimerais que ce soit l'Abby que j'aime qui me
réponde, pas la soumise.

— Oui, mais...

Je laissai ma phrase en suspens. Il avait raison.

— Je ne vais pas t'imposer un régime, ni un plan d'entraînement ni un rythme de sommeil, ni...

— J'espère bien, parce que si tu m'ordonnais de dormir
huit heures par nuit, cela limiterait sérieusement nos activités
de la semaine.

— Admettons. Mais revenons à nos moutons. Si j'ai envie de toi un mercredi et que tu n'es pas d'humeur, je veux que tu te sentes libre de refuser. Tu as beau penser le contraire, le collier sera un obstacle.

Voilà comment il avait été décidé que je ne porterais le collier que le week-end.

J'avais donc pris l'initiative de reposer ma candidature avant de me présenter à son bureau, mais nous n'avions pas discuté de la suite des événements. Je fixai mes pieds en me demandant s'il gardait le bijou ici, dans son bureau. Je l'avais laissé sur la table de la salle à manger, ce matin-là, et ne l'avais pas revu depuis.

J'écoutai le cliquetis régulier des touches sans savoir à quoi il pensait. Qu'avait-il prévu ?

Je rassemblai mes idées et me concentrai sur ma respiration.

Nul besoin de se demander comment se déroulerait la soirée. Il fixerait les règles et, quoi qu'il arrive, ce serait pour le mieux.

Je n'en doutais pas.

Il s'arrêta de taper.

— Abigaïl King, dit-il.

Cette fois, je ne sursautai pas lorsqu'il prononça mon nom. Je m'y attendais et gardai les yeux rivés au sol.

Il se leva et traversa la pièce. J'entendis le parquet craquer sous ses pas. Je comptai.

Dix.

Il s'immobilisa dans mon dos, souleva mes cheveux, les enroula autour de son poignet et tira légèrement.

— J'ai été gentil avec vous, l'autre fois, proféra-t-il d'une voix basse et impérieuse.

Mon ventre frémit d'impatience. Nathaniel le dominant était de retour.

Il m'avait manqué.

Il agrippa mes cheveux plus fort. Je m'obligeai à ne pas bouger.

— Vous avez déclaré un jour que vous étiez prête à tout supporter physiquement. Vous vous souvenez?

Bon sang, oui. Je me rappelai avoir dit ça. J'aurais dû me douter que cela se retournerait contre moi.

Il empoigna brutalement mes cheveux.

— C'est ce que nous allons voir, Abigaïl. Je vais tout de suite vérifier ce que vous êtes capable d'endurer.

Il lâcha prise et je repris ma respiration.

Il vint se placer devant moi de façon à ce que je fixe le bout de ses élégants mocassins de cuir souple.

— Je vais vous enseigner à satisfaire chacun de mes besoins, mes désirs, mes appétits. Vous devrez vous plier immédiatement à chacun de mes ordres sans poser de question. Toute hésitation, toute forme de contestation ou de désobéissance sera punie sur-le-champ. C'est compris?

J'attendis.

— Regardez-moi et répondez. Est-ce bien compris?

Je plongeai mon regard dans ses yeux couleur d'aigue-marine.

— Oui, maître.

— Je pensais que vous aviez retenu la leçon, la dernière fois, dit-il avec un petit claquement de langue réprobateur.

La dernière fois? C'est-à-dire?

— Comment devez-vous m'appeler avant de porter le collier?

Merde.

— Oui, monsieur.

Il retourna à son bureau.

— J'avais toléré cette erreur par le passé, enchaîna-t-il. Mais comme je viens de vous le signifier, je ne serai pas aussi indulgent, cette fois-ci.

Mon cœur manqua un battement. Je ne pensais pas rater le test si vite.

— Retroussez votre jupe, les mains sur la table.

J'obéis et remontai ma jupe jusqu'à la taille. Je m'arc-boutai au bureau. Sa secrétaire était-elle encore là? Comprendrait-elle ce que nous faisions?

— Trois fessées. Comptez.

Sa main s'éleva en l'air et s'abattit sur mon cul.

Ouille.

— Un, dis-je.

Il recommença sous un autre angle.

— Deux.

Plus qu'une seule. Je serrai les dents tandis que sa main claquait une troisième fois.

— Trois.

Il s'arrêta et massa ma peau brûlante, chassant la douleur de ses doigts experts. Ses caresses m'apaisèrent, et j'eus la force de ne pas bouger.

Il rabaissa ma jupe.

— Retournez à votre place.

Je regagnai le milieu de la pièce. D'une certaine manière, je me sentais mieux. J'avais fait une erreur et il m'avait punie. Le jeu continuait. Pas de quoi m'inquiéter.

— Vous souvenez-vous des codes? questionna-t-il depuis son bureau.

Je me remémorai une autre discussion à la table de la cuisine.

— Deux? Tu me donnes deux mots de code?

Il nota quelque chose.

— C'est ce qui se fait en général.

— Mais avant…

Il leva la tête.

— Avant, j'ai commis une erreur, Abby, je te l'ai déjà expliqué. Je ne veux courir aucun risque, cette fois.

Je lui pris la main par-dessus la table.

— Je ne te quitterai pas. C'est juste que je ne comprends pas à quoi servent deux mots de code.

— Parce que je vais repousser les limites. Si tu me dis « jaune », je saurai que je tire sur la corde mais que tu peux encore le supporter. À « rouge », je comprendrai que je dois lever le pied.

C'était un peu exagéré, à mon avis.

— Aucune de tes soumises n'a jamais utilisé les mots de code, objectai-je.

Il porta mes doigts à ses lèvres.

— Sauf toi. Je veux que tu te sentes toujours en sécurité et que tu me fasses confiance. Même si je te pousse à bout.

Je me secouai pour revenir sur terre.

— Oui, monsieur, je me souviens des mots de code.

Il contourna le bureau, ouvrit un autre tiroir et en sortit un coffret qu'il ouvrit.

Mon collier.

Il me le présenta.

— Êtes-vous prête, Abigaïl?

Je souris.

— Oui, monsieur.

Il revint se planter en face de moi.

— À genoux.

Je m'exécutai docilement. Il me passa le bijou au cou et l'attacha. J'étais de nouveau moi-même.

Ses doigts remontèrent le long de ma clavicule.

— Vous le porterez le vendredi soir à dix-huit heures et je le reprendrai le dimanche après-midi à quinze heures.

De cette façon, nous aurions le temps de nous livrer à nos petits jeux dans la nuit de vendredi et, le dimanche, tout le loisir de commenter notre week-end et effectuer la transition de la semaine.

Nous avions également décidé que le jeu commencerait immédiatement après qu'il m'aurait donné le collier, le vendredi soir. J'attendais ses instructions.

— Debout, dit-il.

Je me relevai, surprise. Ce n'était pas ce que nous avions prévu.

Les yeux brillants d'émotion, il prit mon menton dans sa main et m'embrassa avidement. Son baiser me meurtrit les lèvres.

— Vous êtes délicieuse avec mon collier.

J'étais lovée dans ses bras, le lendemain de la première nuit passée dans son lit.

J'effleurai son torse du bout des doigts.

— La règle de ne pas embrasser s'applique-t-elle à toutes les soumises ou à moi seule? questionnai-je.

Il enfouit les doigts dans mes cheveux.

— Seulement à toi, Abby.

Je le fixai du regard.

— Seulement à moi? Mais pourquoi?

— C'était le moyen de maintenir une distance. Je pensais qu'en m'interdisant de t'embrasser, je me rappellerais que je n'étais que ton dominant et je pourrais réprimer ce que je ressentais pour toi.

J'avais honte de la jalousie mesquine qui me mordait le cœur.

— Donc, tu embrassais les autres.

— Oui.

— Et pas moi.

Il ne répondit pas, redoutant probablement ma réaction.

J'étais furieuse qu'il ait réprimé ses sentiments. Nié ce qui nous rattachait l'un à l'autre.

Mais le passé était le passé.

Je l'enfourchai.

Mes lèvres frôlèrent les siennes.

— Tu sais ce que cela signifie, n'est-ce pas?

— Euh… non…

— Que tu vas devoir sérieusement te rattraper.

Il me donna un léger baiser.

— Sérieusement comment?

— Hum… avec intérêts.

Ses lèvres esquissèrent un sourire.

— Vraiment?

— À un taux élevé. Tu ferais mieux de commencer tout de suite.

Il me fit pivoter et s'allongea sur moi.

— Oh, Abby. J'honore toujours mes dettes, sache-le.

Il mit brusquement un terme à son baiser et posa les mains sur mes épaules.

— Remettez-vous à genoux.

Je m'agenouillai devant lui. Une bosse gonflait son pantalon, mais il n'esquissa pas un geste.

— S'il vous plaît, maître, puis-je vous sucer?

— Vous pouvez.

Je défis prestement sa ceinture et la fermeture Éclair. Je descendis son pantalon et son caleçon sur ses chevilles et me léchai les lèvres à la vue de son érection impressionnante.

Il enroula les doigts dans mes cheveux quand je le happai dans ma bouche. Je commençai à le sucer en douceur, mais il en voulait plus et s'enfonça brutalement au fond de ma gorge. Je respirai un bon coup pour éviter un haut-le-cœur.

Il empoigna mes cheveux et il se mit à me pistonner la bouche. Ses mains crispées dans mes cheveux et sa queue heurtant ma gorge, c'était trop bon. J'espérais qu'il appréciait lui aussi. Je refermai mes lèvres sur son gland quand il se retira et promenai très lentement ma langue sur toute la longueur tandis qu'il revenait à la charge. J'en profitai pour le frôler au passage du bout des dents.

Il jura d'une voix étranglée.

Encore quelques coups de reins, et il se mit à palpiter dans ma bouche. Je plaquai mes mains sur ses cuisses, prête à accueillir son orgasme.

Il me transperça une dernière fois et se figea tandis que son sperme se répandait ma bouche. J'avalai tout, appréciant le goût salé de son plaisir.

Ses mains caressaient mes boucles, me massaient le crâne, apaisant la souffrance causée par la violence de ses assauts. Détendue, les yeux clos, je m'abandonnai à ces caresses.

Il ébouriffa mes cheveux une dernière fois.

— Rhabillez-moi, Abigaïl.

Je remontai son caleçon, rajustai son pantalon et bouclai la ceinture.

— Debout, dit-il.

J'obéis.

Il souleva mon menton de l'index et me força à le regarder dans les yeux.

— Je serai très dur avec vous, cette nuit. Je vais vous emmener à la frontière du plaisir et vous laisser pantelante sur le seuil. Vous ne vous jouirez que lorsque je vous l'ordonnerai, pas avant, et vous devrez patienter longtemps, je vous le garantis. Est-ce bien clair ? Répondez.

Merci, mon Dieu.

— Oui, maître.

Je vis briller une étincelle familière au fond de ses yeux.

— Je serai à la maison dans une heure. Vous m'attendrez nue dans la salle de jeux.

À paraître

Le dominant
Volume 2 de la trilogie « La soumise »
En librairie le 14 mai 2014

L'apprentie
Volume 3 de la trilogie « La soumise »
En librairie le 25 juin 2014

Imprimé en Allemagne par GGP MEDIA GMBH
en décembre 2014 pour le compte
des Éditions Marabout (Hachette Livre)
43, quai de Grenelle 75905 Paris Cedex 15

Dépôt légal : janvier 2014
ISBN : 978-2-501-09257-9
4143913